Hanói

Adriana Lisboa

Hanói

Editora Objetiva Ltda.
Rua Cosme Velho, 103
Rio de Janeiro — RJ — Cep: 22241-090
Tel.: (21) 2199-7824 — Fax: (21) 2199-7825
www.objetiva.com.br

Capa
Marianne Lépine

Imagem de capa
© Andrew Davis/Trevillion Images

Revisão
Tamara Sender
Ana Grillo
Eduardo Rosal
Lilia Zanetti

Editoração eletrônica
Abreu's System Ltda.

CIP-BRASIL. CATALOGAÇÃO-NA-FONTE
SINDICATO NACIONAL DOS EDITORES DE LIVROS, RJ

L75h

Lisboa, Adriana
Hanói / Adriana Lisboa. – 1. ed. – Rio de Janeiro : Objetiva, 2013.

238 p. : il. ISBN 978-85-7962-220-5

1. Ficção brasileira. I. Título.

13-00310 CDD: 869.93
CDU: 821.134.3(81)-3

ao Paulo

...aun cuando este día parece propicio para descubrir los terrenos insondables.

MIGUEL-ANGEL ZAPATA

1

Alguém tinha contado a David a história do sujeito diagnosticado com uma doença grave a quem o médico só havia dado um ano de vida: o doente pediu demissão do emprego, vendeu tudo o que tinha e foi gastar numa farra de dimensões épicas. Pouco depois, descobriu-se que o diagnóstico estava errado. Parece que o médico teve que enfrentar um processo, mas daí em diante a história perdia o interesse para David.

Ele pensava nisso ao observar o oncologista pegando um pequeno elefante de pedra verde que tinha em sua estante e revirando-o entre as mãos enquanto falava. Era como se estivessem ali discutindo o caso do pequeno elefante de pedra, não o de David. Tratamentos disponíveis. Meses a mais, meses a menos, dependendo disso ou daquilo.

O médico examinou a tromba do elefante, as patas. Virou o animal para um lado, para o outro. Disse qualquer coisa sobre quimioterapia (e que no caso dele não recomendava, e por quê) e radioterapia (e que no caso dele recomendava, e por quê).

Lá do fundo do oceano de silêncio onde David estava mergulhado, por um instante ele teve a impressão de que o elefante ia responder. Seu novo porta-voz de pedra verde, que falaria com uma voz pequena, mineral e ponderada. Já que as palavras de David pareciam estar enfiadas dentro de alguma gaveta, num canto do seu cérebro doente, e em meio à pressa e à desordem ele não conseguia encontrá-las.

David tinha lido numa revista, muitos anos antes, que os elefantes abandonam sua manada ao sentir que a morte está próxima e vão sozinhos procurar um lugar onde não seja difícil encontrar água e abrigo. Os dentes se fragilizam, perdem a eficiência de outras épocas da vida, e os animais vão buscar áreas pantanosas, por exemplo, onde encontram o alimento já amolecido. Parecia ter sido essa a origem do mito do cemitério de elefantes. Só uma coincidência geográfica causada pelas dificuldades da última fase da vida. E era ali que os animais viam seu último dia e davam seu último suspiro, naquele colosso de corpo que antes parecia quase indestrutível. Elefantes não deveriam morrer, não é verdade? Elefantes deveriam viver para sempre. Mas morriam, e sobravam como carcaça, depois ossos, depois o que quer que ficasse dos ossos. Vestígios. Pequenas marcas no chão.

Terminada a consulta, ele apertou com sua mão fria a mão morna e segura do médico. Acompanhou a enfermeira e foi dar conta de todas as formalidades que continuavam existindo, a mesma teia de ordem, o mesmo seguir adiante.

Havia papéis a assinar, breves agradecimentos a fazer com sorrisos que não eram sorrisos, eram só contrações dos músculos do rosto. Ele pensou na embocadura do trompete. Ajeite os músculos desse jeito, coloque a pressão correta, nem mais, nem menos, e sopre.

Não arrancou as roupas e saiu gritando pelas ruas, parte de um grupo de pessoas às quais finalmente se permitia certa falta de juízo. Não agarrou a bunda da enfermeira que fazia o possível para fingir que não era bonita atrás de um jaleco estampado com Plutos. Não subiu no telhado da clínica. Só o que fez foi procurar um café ali perto, surpreso com o modo como tudo continuava idêntico. O céu não tinha ficado cor de abóbora nem o chão tremia nem godzillas pisoteavam os carros.

Estava claro, naquele momento, que o mundo passava ao largo do drama. As pessoas é que empurravam adjetivos para dentro das coisas, que de outro modo seriam só coisas, nem simples, nem complicadas, nem fáceis, nem difíceis, nem justas, nem injustas.

A lista oferecida pelo oncologista, por exemplo: seria apenas uma lista. E o que constava dela, nada mais do que aquilo que já tinha começado, aos poucos, tranquilamente e com um assobio nos lábios, a ser o novo padrão do corpo de David.

Se afinal, pelo referencial do universo, sobre o qual sempre gostava de ler no caderno de ciências do jornal, ele passava tão rápido quanto uma estrela cadente. Feche os olhos, puf! acabou. Os seus trinta e dois anos se comparavam à bilionésima parte da bilionésima parte de um segundo, tempo de vida daquelas partículas subatômicas descritas na última edição. Postos em perspectiva, numa perspectiva de bilhões de anos, ele e as partículas subatômicas eram primos. Existiam num soluço.

E pensar que em algum lugar do mundo um turista idiota estaria perguntando ao seu guia se o suco oferecido pelo homenzinho moreno, no país estrangeiro, era preparado com água mineral, como na história que sua colega de trabalho, recém-chegada de viagem, tinha contado dias antes — o guia disse que sim, claro, embora fosse óbvio que não, claro, mas o tópico era absurdo e não merecia mais do que aquele pequeno teatro por parte de um ator semiprofissional.

E pensar que na véspera — na véspera! — David ajudava uma cliente, com grande empenho, a escolher o melhor vaso sanitário para a reforma do seu banheiro. Um vaso sanitário é só um objeto de louça com funções para lá de práticas que se coloca no banheiro, só isso. Leve qualquer um, pelo amor de Deus! Qualquer um serve.

Todas essas coisas entravam para o país dos sonhos: viagens, turistas, água mineral, vasos sanitários. Uma nuvem de poeira as embaçava.

Ao mesmo tempo tudo era, pela primeira vez, normal. Tudo eram substantivos. Nada como um médico revirando um pequeno elefante de pedra entre as mãos e listando números e sintomas.

A autodefesa do molusco diante da invasão de um corpo estranho passa a ser conhecida como pérola. Quando te dizem que é o último gole, David pensou, você para, aguça os sentidos e sente o gosto da bebida pela primeira vez.

Naquele mesmo dia, algumas horas mais tarde, o dono de um pequeno mercado asiático em Little Vietnam foi chamar a atenção da garota que atendia no caixa, dizendo que ela estava de mau humor e que o seu mau humor não era bom para os negócios.

No supermercado da Broadway (cujo nome evitava dizer, talvez uma inconfessa superstição) os funcionários são sempre gentis e estão sempre sorridentes, ele completou.

A garota que atendia no caixa olhou para os bolos da Mai's Bakery e da Yen Huong Bakery. Os pacotes e mais pacotes de macarrão de arroz e o chá de ginseng para perda de peso. Os saquinhos com sementes de urucum, *hột điều màu,* em promoção. Os montinhos verdes de *bánh da lợn*, os bolos de tapioca frescos, dispostos atrás do vidro. Suspirou.

Ela se chamava Alex. Um nome ocidental para um rosto cinquenta por cento. Não dava para saber de onde vinha, assim de saída. Se lhe perguntassem, ela diria venho daqui mesmo, nasci e cresci aqui em Chicago, e aliás foram raras as vezes que pus os pés noutro lugar.

Já seu patrão, que ela agora sentia vontade de mandar ao inferno, vinha de fora, assim como grande parte dos produtos empilhados nas prateleiras do mercado. Assim como as conservas de jaca e de goiaba.

Chamava-se Trung. Tinha exportado a si mesmo trinta anos antes, com alguns dos selos oficiais (somente alguns).

O dia de Alex não estava sendo fácil. Seu filho estava resfriado, e em vez de levá-lo à escola ela precisara deixá-lo na casa da amiga a quem sempre recorria nessas horas — Rita, sua amiga desde os tempos da escola, que agora ganhava a vida cuidando de crianças, passeando com os cachorros de pessoas atribuladas demais para passear com seus cachorros e dando aulas de matemática para adolescentes que detestavam matemática.

Estava cansada. Seu filho tinha acordado várias vezes durante a noite, e quando já amanhecia, um pesadelo a havia arrancado da cama com o coração acelerado, como se tivesse que tomar alguma providência (mas que providência?) acerca de alguma coisa (mas que coisa?) muito rápido. Era o pior tipo de pesadelo. Aquele em que o medo paira no ar como um cheiro, sem que você saiba de onde vem ou a que se refere. Sem que você saiba o que exatamente precisa temer.

Fazia calor ali dentro, no mercado asiático. Trung podia ir para o inferno, o salário que ele lhe pagava não incluía sorrisos de cortesia. Ela sorria se estivesse com vontade.

Mas claro que não era sério aquilo de querer que ele fosse para o inferno. Trung era um homem gentil e esforçado. Alex se perguntava quantas horas de sono por noite ele dormia. Tinha olheiras tão fundas que era como se alguém o tivesse maquiado para uma peça de teatro. Como se quisesse realçá-las para ter certeza de que o público notaria.

Uma vez ele tinha contado que dormia no metrô a caminho de casa e que nunca, nem uma única vez em dezessete anos — desde o dia em que tinha aberto as portas do mercado pela primeira vez, com amostras grátis e preços especiais de inauguração — havia passado da sua estação. Achava que uma parte sua ficava atenta, sabia quanto tempo transcorria desde que embarcava até o momento em que devia se levantar e sair. Um pequeno despertador interno, ajustado face às necessidades, como tantas coisas mais.

Trung havia dado o emprego a Alex por amizade à mãe dela. Mais do que amizade. Devia achar que Alex não percebia as delicadezas com que ele tratava sua mãe quando seu pai não estava por perto, desde aqueles primeiros tempos, quando eram vizinhos e Alex ainda uma criança.

Quando o pai de Alex morreu, tão cedo, ela achou (todo mundo achou) que sua mãe e Trung iam se casar, como alguma coisa que se acomoda, que se ajeita para um lado, para o outro, afunda um pouco e fica ali, ocupando de modo ainda mais quieto o seu lugar quieto por definição no mundo: nada que venha a causar terremotos ou sequer impressões, algo da natureza da pedrinha que rola alguns centímetros com a chuva e é tudo. E continua ali imóvel, sem pensar em nada, sem precisar de nada.

Mas eles não se casaram e pouco depois Alex teve Bruno, e as coisas se complicaram.

Quando finalmente parecia que Alex daria conta de tudo sozinha, Huong, sua mãe, e Linh, sua avó, deixaram Chicago e foram morar a cinco horas dali, numa cidadezinha de quinze mil habitantes. Fazia mais sentido. Elas não tinham nascido para milhões. Elas ficavam confusas na cidade grande, com o ritmo, com o barulho, com a falta de espaço, e nem duas décadas as haviam amolecido, nesse sentido.

Trung dizia mas é claro, elas vieram de um país rural. Elas trabalhavam no campo em um país rural devastado pela guerra.

Você veio do mesmo país rural, Alex respondia a ele.

É, eu também, ele dizia. Mas o meu caso foi diferente.

O caso de Trung tinha sido diferente. Pior, talvez. Mas não havia uma balança para aquilatar essas coisas. Como é que os corações — e os estômagos, e os pés, e outras partes do corpo — doíam em cada um. Qual o grau de tolerância de cada um.

Resiliência, Alex pensava. Na física, desde sempre uma de suas matérias preferidas, *resiliência* significava a capacidade de um corpo de recobrar sua forma original após choque ou deformação.

Mas então não era *bem* resiliência, era? Será que os corpos, aqueles corpos, tinham mesmo recobrado sua forma original?

Huong arranjou um emprego no centro recreativo da cidadezinha de quinze mil habitantes, onde ganhava oito dólares por hora. Entre todas as coisas possíveis, prováveis e improváveis, sua nova vizinha era viúva de um veterano da Guerra do Vietnã (a Guerra Americana).

A vizinha tinha fotografias do marido nas paredes de casa, e Alex imaginava sua mãe e sua avó — sobretudo sua avó — entrando ali como quem entra num museu de memórias coletivas. Não se pode dizer que dividimos as mesmas experiências, não. Mas sabemos o valor de flores secas, de cartas e fotografias que guardamos (por um tempo, apenas, no nosso caso: enquanto elas eram seguras) e de cartas que nunca recebemos e fotografias que nunca tiramos. Sabemos inclusive o peso dos nossos enganos e o quanto os enganos alheios pesaram sobre nós sem que pudéssemos fazer muita coisa a respeito. Seguir em frente era a nossa opção: aqui está, o seu caminho é este, siga em frente.

Arranjei um emprego no centro recreativo, Huong contou a Alex num dos telefonemas em que a filha se esforçava para falar a língua da mãe, que já não podia chamar de sua havia muito, embora a tivesse aprendido em casa, junto com o inglês de seu pai e dos desenhos animados da tevê.

Minhas tarefas por enquanto são ajudar no bingo, ensinar pingue-pongue para a terceira idade (ela jogava pinque-pongue como um pequeno demônio, com técnica e estilo, embora nas aulas no centro recreativo tivesse que se conter e ser mais didática, mais medíocre) e organizar na última sexta-feira do mês a festa do sorvete, Huong contou. Me avisaram que tenho de anotar em papeizinhos os sorvetes que levam leite e os que não levam. Os que levam amendoim ou nozes ou castanhas e os que não levam. Nunca entendi por que as pessoas têm tantas alergias, aqui.

Huong cultivava flores no jardim de casa, e punha um buquê a cada semana no vaso torto de cerâmica que Alex tinha feito quando criança. Retomava com isso, num arco, uma relação que tinha existido entre ela e a terra muito antes.

Mas ao mesmo tempo era tudo tão diferente, agora. Cultivava flores em vez de arroz. Era muito simples. Bastavam um par de luvas de borracha e umas poucas ferramentas de jardinagem, mais um conhecimento mínimo da predileção de cada planta. Cada indivíduo em seus canteiros era generosamente previsível, uma vez que ela entendia suas necessidades básicas de sol, de água, de adubo. Não precisava ficar enterrada até os joelhos na plantação, as costas arqueadas, o corpo tapado para fugir do sol, debaixo do chapéu cônico, calças compridas, mangas compridas, ajudando sua mãe depois que ficou claro que a escola também era território inimigo. Já não precisava plantar para comer.

Huong fez questão que Alex terminasse os estudos quando Bruno nasceu. Foi um ano difícil mas chegou ao fim, e no dia da formatura de Alex as duas dividiram uma garrafa de sidra.

Ele parece um urso, Huong disse, vendo Bruno dormir em cima de uma colcha, no chão.

Ele parecia mesmo, um pequeno urso, com aquela pele marrom e os cabelos encaracolados e as pernas gordas e escancaradas saindo das fraldas.

Huong contou que quando era pequena havia um orfanato budista perto da sua casa. Depois da guerra, as monjas foram presas, e presas ficaram por vários dias, em alguns casos por várias semanas. As crianças foram postas para adoção.

As pessoas vinham escolher, ela disse. Como se escolhessem produtos numa feira. Levavam primeiro os mais bonitos e saudáveis entre os vietnamitas puros. Depois, os mestiços filhos de soldados americanos brancos. Depois, os vietnamitas feios ou doentes. E por último os mestiços filhos de soldados americanos negros.

Huong não era uma órfã da guerra. Dizia com orgulho que não havia sido abandonada por sua mãe — não ela. Não ela.

As duas ficaram na janela, antebraços apoiados no parapeito, olhando para o céu que escurecia tarde, tomando sidra com as taças que tinham vindo de brinde e nas quais se lia o nome do fabricante em letras douradas. Enquanto isso, Linh assistia a um programa de variedades na televisão.

Havia sido um verão quente, aquele.

Ao sair da clínica, disposto a entrar no primeiro café que aparecesse no seu caminho, David parou para ouvir um garoto tocando, na rua, num piano de armário. Devia ter sido complicado levar um piano para a rua.

Tentou calcular quanto dinheiro haveria dentro do copo de plástico em cima do piano, entre moedas e notas amassadas. Contou quantas pessoas além dele tinham parado para ouvir.

O garoto devia ter seus dezoito, dezenove anos. Era um elefante jovem, com dentes saudáveis, mordendo a comida com força, arrancando as folhas das árvores. David poderia ter tirado do estojo o trompete (que por nenhum motivo tinha decidido levar com ele naquele dia: era talvez um amigo para as horas difíceis?) e improvisado um duo com o pianista.

Não precisariam saber o nome um do outro, não precisariam nem mesmo falar uma sílaba da língua um do outro. Não é necessário traduzir ao húngaro ou ao chinês o tema de "Seven Steps to Heaven", por exemplo. David poderia pegar o trompete, e o garoto no piano e eles seriam parte de alguma coisa. E se o pianista fosse, digamos, chinês, e ele húngaro, ainda melhor, David pensou: misturariam a "Orquídea Solitária" e "Szerelem, Szerelem" e qualquer outro tema que lhes ocorresse, com total liberdade. O jovem elefante de dentes saudáveis, ainda capaz de morder o mundo, e o elefante que se encaminhava precocemente ao pântano.

O homem ao lado de David sacudia a cabeça ao ritmo da música. Estava sentado numa cadeira de rodas e suas pernas terminavam na altura dos joelhos. Uma mulher olhou para David, colocou no rosto um sorriso e a expressão universal de admiração compartilhada. Usava óculos de grau decorados com claves de sol vermelhas nas laterais. Tirou um dinheiro da bolsa e foi colocar no copo de plástico. O garoto olhou para ela e fez um gesto de agradecimento com a cabeça.

David voltou a pensar na história do diagnóstico errado, e do sujeito que vendia tudo o que tinha, pedia demissão do emprego, e todo o resto.

Era uma história plausível, mas não provável. Não havia muita margem de erro, no seu caso. Os sintomas já vinham colocando placas de trânsito no seu corpo, dizendo é por aqui. Placas de trânsito com limites de velocidade, com avisos de RUA SEM SAÍDA e com o vermelho histérico do PARE. De modo que não havia muita margem de manobra. Ele era como uma cidade tomada, cheia de barricadas e postos de inspeção.

Foi assim que o seu plano de ação se apresentou já pronto, organizado e simples, naquele instante, num miolo de tarde, no meio da rua.

Não requeria músculos possantes nem dentes afiados. Não requeria elasticidade nem fôlego incomuns. Não era um papel para o ator mais bem pago de Hollywood, nem para o homem mais bonito do ano. Era um papel para ele, David. Bem mais modesto do que o do tal doente que acabou processando o médico pelo diagnóstico errado. Mas ainda assim tinha seu charme.

* * *

Ele abriu a carteira, separou um pouco de dinheiro porque afinal a gente nunca sabe, e meteu o resto no copo de plástico em cima do piano.

O que ele tinha não era muito. Nunca era muito — o que Lisa havia tentado explicar durante todos os anos em que estiveram juntos, sempre passando longe do alvo mas nunca se dando conta disso.

De todo modo, o que ele colocou dentro do copo de plástico sobre o piano devia ser mais do que o esperado pelo pianista, e pela primeira vez não tinha nada a ver com a solidariedade do músico anônimo, acostumado a não ser ninguém num mundo de poucos alguéns.

Depois ele virou as costas, porque ali acabava o seu ponto de contato com o garoto ao piano. Um duo improvisado teria sido ótimo, mas agora estava ali o dinheiro, para que o garoto fizesse com ele o que quisesse.

David entrou num café e se sentou numa mesa perto do balcão. Na televisão, uma atriz famosa falava com uma entrevistadora de cabelos muito armados, e a entrevistadora fazia que sim com frequência, mas seus cabelos não se mexiam. O único freguês além de David era um homem sentado sozinho numa outra mesa, de costas para o balcão, que não prestava atenção na atriz famosa e anotava coisas num caderninho com um toco de lápis, molhando os dedos na língua quando precisava virar as páginas.

O analgésico funcionaria por algum tempo, segundo o médico. David pediu à garçonete um café e um copo d'água, e tirou o remédio do bolso.

Vai comer alguma coisa? a garçonete perguntou.

Vou dar uma olhada no cardápio.

Hoje não estamos servindo o prato do lenhador, ela avisou. Acabaram os cogumelos. A menos que você queira sem cogumelos.

O café estava ruim. Mesmo assim ele bebeu até o final, e no fundo da caneca ficou um anel pardo. David olhou, leu seu futuro num estalo e quase sorriu. Levou os dedos às têmporas e apertou. Girou os polegares no côncavo que os ossos formavam.

O homem com o caderninho molhou os dedos na língua e virou mais uma página.

David pegou o cardápio amarelado disposto a comer alguma coisa e foi ver, por curiosidade, o que era o prato do lenhador. Ovos mexidos, queijo cheddar, bacon, presunto, cogumelos, tomates e maionese. A descrição o encheu de náusea. Ele sabia que também podia contar com isso, com a náusea. Fechou o cardápio. A garçonete voltou, minutos depois. O que vai ser?

Só um pouco mais de café.

Volte amanhã e experimente o prato do lenhador. É bom mesmo. O meu preferido.

Ele deixou que a ideia fosse embora por conta própria. O prato do lenhador não estava nos seus planos. Pegou, no estojo do trompete, o livro de bolso que tinha trazido para ler no metrô e na sala de espera, na clínica, e nem sequer havia aberto. Quem ele pensava que era? Será que achava mesmo que ia conseguir registrar uma frase que fosse de um livro naquele dia, um super-herói da eficiência? Capaz de ter levado o livro só porque ele daria às suas mãos algo a fazer, e aos seus olhos uma ocupação também, ainda que fosse só estudar a capa e as letras que não faziam sentido. Ou espiar a biografia do autor, que também não fazia sentido. A capa do livro de bolso estava ondulada com a umidade das suas mãos. David guardou-o de volta no estojo do trompete.

Quando colocou o dinheiro trocado debaixo do açucareiro e se levantou e saiu, a garçonete disse cuide-se, ou algo assim, e ele se perguntou se aquelas palavras tão triviais, cheias das melhores intenções, não estariam na verdade tornando evidente o que vinha negando: já era um doente explícito. As outras pessoas tinham um talento instintivo para farejar essas coisas. Doentes assustam, David pensou. Eles são inconveniências. Precisam ser tratados e curados, e se isso não der certo maquiados, e se isso não der certo escondidos e esquecidos.

Lá fora, porém, na porta de vidro do café, seu reflexo era o de um homem normal, ainda jovem e até saudável. Ele percebeu isso ao sair, sua imagem com carros ao fundo sobreposta à garçonete de peitos grandes apertados dentro da blusa, as mesas vazias exceto pelo homem com o toco de lápis, o interior quase vazio do café. A atriz famosa continuava falando na tevê. A garçonete pegou o controle remoto, e a atriz e sua entrevistadora de cabelo armado foram substituídos por uma banda pop.

No trabalho, David sabia que não faria falta: um vendedor numa loja de materiais de construção num subúrbio de Chicago não seria um cargo difícil de preencher. Dava para imaginar o anúncio nos próximos dias, depois que ele pedisse demissão, e uma fila, um punhado de homens com histórias muito diferentes da sua, de olho no emprego. Fumando. Ouvindo música com um par de fones enfiados nos ouvidos. Cochilando em pé, os braços cruzados sobre o peito e um boné enterrado na cabeça.

Você podia arranjar um emprego melhor, Lisa disse, quando ele começou a trabalhar na loja de materiais de construção. Você tem estudo.

Pode ser, ele disse. Mas as coisas não andam muito fáceis, e enquanto não arranjo um emprego melhor tenho um salário garantido no final do mês. Não era o que você queria?

Não era o que Lisa queria, do contrário ela não teria ido embora meses depois com o ex-noivo, desistindo de uma vez por todas de David.

Você não se esforça, Lisa disse. Se contenta com qualquer coisa. Fica jogado por aí tocando com esses músicos fodidos. Olha só para essa estante. Você leu um monte de livros!

Ele tinha vontade de dizer a Lisa que a leitura daqueles livros não o tornava necessariamente mais apto, em termos práticos. Pelo contrário: era bem possível que alguns daqueles livros tivessem a capacidade de convencer as pessoas de que o mundo era uma grande embromação. Conquistar coisas. Deixar seu carimbo num planeta com sete bilhões de habitantes que continuavam se reproduzindo como se a situação estivesse na verdade muito confortável para todos e as perspectivas fossem ótimas. Você seguia em frente enquanto não pensava muito. Mas bastava dar tratos à bola com seriedade e no instante seguinte você seria aquele personagem famoso que desceu para comprar cigarros e nunca mais voltou — foi morar numa floresta, num túnel de metrô, num barco. Se mandou sem deixar um número de telefone ou de caixa postal. O último a sair por favor apague as luzes.

Mesmo assim, David prometeu a Lisa que ia arranjar um emprego melhor. Prometeu que ia muitas coisas nos próximos trinta e dois anos da sua vida, para compensar os primeiros, que ela considerava um fiasco.

Tanto potencial, Lisa dizia. O privilégio de ter tido um pouco de estudo, que era mais do que muita gente podia dizer.

* * *

No dia em que Lisa foi embora, ela disse pensei que você fosse mudar. Quando nos conhecemos, pensei que com o tempo você fosse mudar.

E David disse cheguei a pensar a mesma coisa de você.

Ela agarrou o trompete que estava sobre a mesa e o atirou pela janela.

Ele se levantou, foi até a porta junto à qual as duas malas de Lisa já esperavam e a abriu. Sua pior raiva era assim, serena, bem-educada. Era quando as coisas ficavam realmente graves.

A maçaneta estava escorregadia.

Lisa pegou as malas e o abajur da mesinha da sala, que tinha comprado numa liquidação e por pouco ia esquecendo, e desceu a escada com exclamações nos saltos dos sapatos enquanto o ex-noivo a esperava lá embaixo, de carro.

Um homem segurando a porta aberta para que ela saísse, outro homem segurando a porta aberta para que ela entrasse.

Naquela noite, David bebeu demais e compôs um tema ao qual deu o título de "Lisa".

Era um tanto perverso e ele sabia, porque havia poucas coisas no mundo que ela detestasse mais do que trompetes, e o seu trompete em particular. Mas dificilmente ela ficaria sabendo. E a intenção era o que valia. Não era?

Ele se imaginou tocando num bar futuro, casa cheia: nossa próxima música é um tema que compus faz alguns anos para uma garota, uma dançarina de pernas grossas e voz aguda que não gostava que eu tocasse e um dia foi embora. Lisa, onde quer que você esteja, cuide-se e seja feliz, baby. E contaria, ummm, dooois, e a banda entraria, azeitada e leve, o piano formando um acolchoado de acordes, o contrabaixo fazendo seus comentários com aquela elegância discreta que só os contrabaixos têm. Os pratos da bateria oscilariam num chiado rítmico quase imperceptível, sob as vassourinhas do baterista (ele pensou em Adam Nussbaum, que tinha visto recentemente tocando com John Abercrombie, porque se pensamento era livre Adam Nussbaum podia muito bem integrar sua banda).

A plateia, na penumbra, seria composta por mulheres de olhos esfumaçados e homens com a barba por fazer e mais uma gama de bichos noturnos que amavam o jazz, que amavam os clubes de jazz, e que levavam a vida como podiam fora dali. Pessoas que sabiam, como David, haver poucas coisas na vida mais importantes do que a música.

Um gelo tilintando dentro de um copo. Alguém pigarreando.

"Lisa." Seria bonito.

O metrô não estava cheio àquela hora. David se sentou, encostou a cabeça e fechou os olhos. Tinha gostado de Lisa. Da sua alegria. Do fato de ela gostar de plantas e de conversar com estranhos, nas filas, nos ônibus, em qualquer lugar. Do seu corpo, o corpo de uma estudante de dança não muito talentosa que certamente não iria longe com aquilo (mas nunca se sabe). Da sua altura e dos seus pés. Dos lóbulos das suas orelhas. Mas num estalo da língua de um médico ela também tinha passado a fazer parte do mundo dos sonhos, o passado, gelo seco deslizando entre personagens irreais.

Melhor que Lisa tivesse ido embora, meses antes, ele pensou. Agora não teria condições de continuar vivendo com ela. Dentro da sua cabeça havia um martelo golpeando insistentemente uma bigorna, mas o analgésico era forte e ele sabia que a dor não demoraria a ceder.

O problema também era que doenças, dores e coisas desse gênero acabavam fazendo com que você pensasse demais em si mesmo. Claro: você usa as mãos para abrir portas, fechar janelas, atirar uma pedra dentro do lago, alisar os cabelos de alguém. Não fica pensando estas são as minhas mãos e no momento estão abrindo uma porta, fechando uma janela, atirando uma pedra no lago, alisando os cabelos de alguém. Mas acrescente uma queimadura ou um corte a uma delas e de imediato essa mão vai ganhar consciência. Vai ganhar quase que autonomia, passando a ser um outro corpo conectado ao seu.

Isso de pensar demais em si mesmo pode ser meio viral, ele pensou. Como uma doença correndo em paralelo à doença, digamos, central. Quanto mais você se coloca no centro das suas próprias atenções, mais você se coloca no centro das suas próprias atenções. Todos os homens são ilhas, mas as ilhas friccionam umas nas outras, se acotovelam, o coqueiro de uma projeta sombra no solo da outra.

Por esse motivo, ele achava bom ter um plano de ação cujo desfecho fosse o desfecho real, a dissolução — se uma ilha na verdade é só um bocado de minerais e átomos de carbono.

Um plano em que ele fosse se afastando do centro, apagando as letras do seu nome, esfriando a sua temperatura corporal, respirando mais devagar, falando cada vez mais baixo, até que não estivesse mais ali e as pessoas nem mesmo notassem que em algum momento tinha estado.

Uma festança apoteótica, um carnaval como o daquele outro (suposto) doente, era o exato oposto disso. Ademais, ele não podia vender sua casa nem seu carro, não tinha um carro e morava de aluguel.

A única característica comum a todas as coisas, ele pensou, enquanto o embalo suave do metrô o jogava para a direita, para a esquerda, para a direita, para a esquerda, é que elas num determinado momento começam a existir e num outro momento deixam de existir.

Ou você achou que era para sempre? Como pôde levar um susto com o primeiro fio de cabelo branco na cabeça? Era para cá que você vinha quando deu o primeiro passo e tropeçou e viu que o chão era mais duro do que imaginava, quando descobriu fascinado que um dente estava mole e que empurrando-o com a língua era possível alojá--la no espaço da gengiva ali embaixo, quando viu surpreso que começavam a brotar pelos no seu corpo pré-adolescente, que para piorar crescia aos trancos e sem qualquer noção de proporção. Era para cá que você vinha. Diga-me se há mesmo algo de tão terrível assim nesse fato.

Ele não respondeu à sua própria pergunta. Tirou outra vez o livro do estojo do trompete. Colocou no assento ao seu lado. Deixou ali quando chegou a estação em que devia descer, dando-lhe dois tapinhas de boa sorte.

Mas você vai ter o bebê? as amigas de Alex perguntaram quando, cinco anos antes, ela contou que estava grávida. Era o penúltimo ano da escola. Sinceramente, não é a coisa mais sensata, no seu caso, elas disseram. E o pai? Quem é o pai? Aquele cara com quem você estava saindo?

Alex não queria pensar no bebê, no pai do bebê nem na coisa mais sensata. Talvez o bebê pudesse continuar sendo a hipótese que ainda era dentro da sua barriga por um tempo indeterminado, até que ela estivesse pronta para ele. E seria como apertar o botão de play.

Mas era o contrário, ele crescia depressa, com uma surpreendente determinação a existir, cem por cento indiferente às amigas que perguntavam a Alex, mas você vai ter o bebê?

O pai era aquele cara com quem ela estava saindo. Ele tinha quarenta anos e era casado. Alex tinha dezessete e não era. Ele era técnico de basquete de um time universitário. Ela estava no penúltimo ano da escola e não se interessava por basquete. Não se interessava por esportes, de modo geral. O que atiçava mesmo sua curiosidade eram as galáxias do Aglomerado de Fornax e coisas do tipo. Tinha planos de tatuar o sistema solar nas costas quando fizesse dezoito anos, antes de tropeçar na gravidez. Quando na sua cabeça havia espaço para coisas mais prosaicas, como tatuagens.

Avisou ao técnico de basquete que teria o bebê e ele desviou os olhos e suspirou e disse que nesse caso contaria à mulher.

Ela pediu não faça isso. Deixe a sua família em paz. Você não vai se separar nem nós vamos viver juntos nem nada disso (seu coração batucava dentro do peito).

Mas a criança vai nascer sem um pai, foi o que ele disse.

Não vai ser a primeira nem a última (seu coração batucava menos).

Ele suspirou, e o coração de Alex parou de batucar. Transformou-se numa bola de chumbo e afundou dentro de seu corpo, foi afundando, despediu-se dos intestinos e do útero onde o bebê minúsculo crescia, escorreu pela perna esquerda até chegar ao seu pé.

Ela derramou um punhado de lágrimas apenas para deixar claro que não estava acima dessas coisas, como muita gente achava que ela estava, e ele a abraçou.

Naquele exato momento, enquanto o técnico de basquete a abraçava com um cuidado novo e com o que pareceu a ela uma espécie de pudor em consequência da mudança de status de ambos, Alex se tornou a mãe daquilo que já estufava muito de leve sua barriga, e soube que dali por diante faria o que tivesse de ser feito pela pessoa que em breve teria formas completas e achataria os seus órgãos internos e depois se espremeria toda para sair dali e dar as caras ao mundo. Ela amaria aquela pessoa como um animal ama.

O técnico de basquete disse que ia lhe dar um dinheiro.

Ela disse que aceitaria o dinheiro.

Ele disse que não poderia ser muito, ela sabia como era a vida dele, e era verdade, ela sabia como era a vida dele, e disse que ia se virar.

Ele pediu desculpas por não ter usado um preservativo e por não ter perguntado a ela se tomava alguma precaução. Foi a palavra que ele usou: precaução.

Ele não pensou nas consequências daquele gesto tão simples, Alex subindo em seu colo no banco do carro, com medo de que a polícia aparecesse. Ela também não pensou. Nenhum dos dois deu bola para as consequências não uniformizadas.

Não pensaram nelas naquela primeira vez nem nas vezes seguintes, nos quartos baratos de hotel que ele alugava e onde Alex entrava sabendo que não era nem nunca seria a sra. técnico de basquete, mas por umas horas tendo a ilusão de ser. Como se algum acordo tácito tivesse sido estabelecido entre os dois e o princípio da concepção de bebês humanos. Uma espécie de trégua.

Ela tirava a camisa dele ávida para tocar a pele negra e os músculos das décadas de esporte. As galáxias do Aglomerado de Fornax e a Nebulosa de Hélix eram formidáveis mesmo, mas a verdade era que não dava para tocá-las, quentes, com a ponta de seus dedos quentes e vê-las se crispar daquele jeito.

Alex sabia que era provisório, tudo aquilo, aqueles clichês das tardes de hotel. Mas acontece que os clichês só são clichês na vida dos outros, ela ia pensar mais tarde: na nossa vida eles furam, pesam, comprimem, gritam, queimam. E às vezes fazem filhos.

Em vez de mandar Trung ao inferno, Alex deixou que ele lhe chamasse a atenção e fez que sim, a cabeça e os olhos baixos como tinha visto nas pessoas nas igrejas, a pose padrão da subserviência mesmo que na verdade você esteja pensando em batatas fritas ou orangotangos, ou no fio prateado de barba no queixo da senhora ao seu lado.

Colocar um sorriso no rosto é como pentear o cabelo, disse Trung, com aquele seu sotaque tão engraçado, que comia as sílabas finais de certas palavras como se estivesse tentando encurtá-las e transformá-las em algo mais próximo da sua língua materna. É um modo de você causar uma boa impressão, ele acrescentou.

Trung só falava com Alex em vietnamita na presença da mãe e da avó dela. Uma espécie de decência. Com Alex, o que era mais confortável para Alex. Mas, quando as gerações mais velhas estavam presentes, prioridade às gerações mais velhas.

Ele pigarreou e continuou dizendo que as moças do supermercado na Broadway estavam sempre sorrindo. E lhe deu o mais curioso dos conselhos: que algumas vezes por dia, quando ela fosse ao banheiro, por exemplo, se lembrasse de colocar aquele sorriso profissional de volta no rosto. Ela podia se olhar no espelho e ajeitar o sorriso e voltar para o caixa pensando na importância — para ele, para ela, para todos ali — de fregueses satisfeitos.

Alex prometeu que ia se esforçar mais. Trung tirou do bolso umas balas e disse que eram para o filho dela.

Trung sempre tinha balas de emergência nos bolsos. Alex o imaginava comprando pacotes imensos de balas, estocando em casa e colocando um punhado nos bolsos a cada manhã. O seu modo de se preparar para os imprevistos.

Trung era uma espécie de projeto com erros essenciais de cálculo, que no entanto continuava por ali, de pé, firme e forte. Nada tinha desmoronado até então.

Vivia com as memórias dos campos de reeducação, onde Alex sabia que, entre outras coisas, tinha trabalhado na busca de minas terrestres. Com as memórias do barco, também ele. Dos meses no campo de refugiados na Malásia.

Trung não falava sobre essas coisas. E pouco falava dos primeiros tempos em seu novo e definitivo país, os tempos em que havia trabalhado servindo sopa num restaurante popular ali em Chicago, um homem-colher, sem vocabulário. Alex se perguntava como o edifício continuava de pé. Com balas nos bolsos, ainda por cima.

Parecia existir para ele uma dignidade na dignidade em si. Um trabalho, qualquer trabalho, tinha que ser bem-feito. Não era apenas sobrevivência a dedicação ao seu pequeno mercado, tão simples que talvez só não tivesse sido esmagado pela concorrência porque a concorrência nem mesmo conseguia vê-lo.

Não era apenas sobrevivência as coisas terem de estar limpas, arrumadas, as contas redondas, os funcionários sorridentes. Não era apenas porque no supermercado na Broadway etc. Não era apenas porque lápis custavam dinheiro que Trung os usava até não conseguir segurá-los mais de tão pequenos.

No fim da tarde, ele podia ser visto em sua salinha fazendo prostrações diante da estatueta branca de Quan Âm, aquela que ouve os sons do mundo. Depois de trancar as portas do mercado, ele pegava sozinho o metrô para a pequena casa geminada onde vivia sozinho.

Ninguém sabia ao certo para onde ia o dinheiro que Trung ganhava como dono daquele mercado, por menor e mais modesto que fosse. Se ele colocava tudo debaixo do colchão. Se ele mandava para o Vietnã. Se ele doava. Se ele queimava. Se ele torrava (improvável) comprando joias para uma amante misteriosa.

Alex lhe perguntou certa vez se ele tinha trazido aquela estatueta de Quan Âm do templo no Vietnã, e ele respondeu que não tinha trazido nada do templo no Vietnã.

No fim da tarde, David colocaria os pés no pequeno mercado asiático de Trung pela primeira vez na vida, ainda que já fizesse anos que morava perto, ali mesmo em Uptown, num prédio na North Sheridan Road. Por acaso, ele era dos que costumavam ir atrás dos preços baixos e das promoções do grande supermercado que afinal ficava tão perto. Por acaso, produtos asiáticos — bolos de tapioca, sementes de urucum — não faziam parte da sua lista costumeira de compras.

David ainda não conhecia Alex nem Trung. Naquele momento, ele estava a alguns quilômetros dali, no parque à beira do lago Michigan, junto com os habituais corredores, ciclistas, patinadores, crianças de patinete, adultos de idades variadas com bebês pequenos em carrinhos.

Um casal de turistas se aproximou dele. Entregaram-lhe uma câmera e lhe perguntaram se podia tirar a fotografia deles. David os emoldurou na pequena tela de cristal líquido com o lago e os barcos ao fundo.

Depois foi se sentar num canto do gramado, e pegou o trompete e a surdina. Seu trompete heroico, que havia sobrevivido a Lisa e a uma queda do terceiro andar (por sorte havia aterrissado numa pilha de sacos de lixo).

Sentiu uma pontada de saudade de Lisa. Sentiu uma pontada de saudade do pai, uma pontada de raiva da mãe.

Tudo bem, pensou, se todo mundo afinal tinha pontadas disso ou daquilo. Uma pontada no fígado. Uma pontada de generosidade, como a turista que passou por ele no instante seguinte e, ouvindo-o tocar e vendo o estojo do trompete aberto, se abaixou e colocou ali dentro uma moeda.

Depois da pontada de surpresa, David sentiu uma pontada de alguma outra coisa íntima e esquisita. Fez um gesto com a cabeça, agradecendo à moça, mas ela já não olhava mais para ele, já seguia seu caminho margeando o lago.

Ele se abaixou, pegou a moeda e colocou no bolso. Fechou o estojo do trompete, para que outros passantes generosos não tivessem impulsos parecidos. Mas guardaria a moeda que aquela mulher havia dado ao trompetista magro, meio cabeludo, a barba de alguns dias, desconfiado de que talvez já estivesse com cara de doente.

Alegria. Era preciso alegria. Pensar em Cartola cantando "A cor da esperança". *Amanhã a tristeza vai transformar-se em alegria* e pronto. O trompete como se cantasse. O trompete como se cantasse na língua de Cartola, que era também a língua de um brasileiro anônimo saído da cidade de Capitão Andrade e migrado para o mundo de possibilidades dos Estados Unidos da América no fim dos anos setenta — o pai de David, cuja insistência em falar português dentro de casa tinha sido a responsável por David ser razoavelmente proficiente na língua.

Luiz, o capitão-andradense pai de David, não tinha feito isso por princípios. Não conseguia aprender o inglês a um nível que pudesse considerar confortável. Não conseguia nem mesmo parar de fazer cerimônia com o espanhol falado por Guadalupe, a mãe mexicana de David, de modo que Guadalupe acabou se convertendo e o português virou a língua oficial da família.

Guadalupe era tão fácil, tão maleável, naquela época. Seus sorrisos eram fartos e de graça. Seu português e seu inglês com sotaque eram melódicos, eram ensolarados, lindos como ela.

A tarde de sexta-feira foi indo embora, a luz do lago também. O céu não demoraria a escurecer de todo. Os edifícios começavam a acender suas janelas, uma depois da outra, até virar aqueles placares luminosos que eram. Uma vez David tinha visto um mapa noturno do mundo: estava num dos maiores grumos de iluminação artificial. Por isso dali era tão difícil ver as estrelas. Elas ficavam ofuscadas pelas luzes da cidade.

Dez anos antes, ele e um amigo tinham dirigido para o norte durante dois dias, quase em linha reta, e David tinha visto muito mais estrelas. Tinha visto o céu sem nada para atrapalhar. Tinha também conhecido uma garota cujo nome significava *radiante* na língua da tribo indígena da qual ela descendia.

Depois ele e o amigo voltaram para casa, pela mesma linha reta, e David deixou para trás as estrelas radiantes e a garota radiante e o mundo voltou ao seu normal, fosco, assim assim.

Mas com uma diferença: o trompete. Seria o seu grande aliado, dali por diante.

Naquela época, ele trabalhava num supermercado. Anos depois, conseguiu o melhor emprego da sua vida, numa livraria em Gold Coast. Era um bom funcionário e em poucos dias já sabia localizar tudo, nos dois andares: livros de crime e mistério. Livros para adolescentes. Livros sobre gatos, mitologia grega, bonsai, sexo, violão, ciência cristã — era pensar num assunto e haveria um título sobre aquele assunto. Ele achava fascinante como as pessoas escreviam livros sobre tudo e qualquer coisa.

Por isso aquele emprego era bom e fazia com que ele se sentisse importante, como se ali na livraria estivessem condensados a humanidade inteira e tudo o que a humanidade pensava sobre si mesma, sobre seu passado, sobre seu futuro e sobre o invisível (sonhos, vida após a morte, emoções, seres extraterrestres). E saber localizar títulos, autores e assuntos lhe conferia uma espécie de poder. Era como se ele tivesse o privilégio de uma visão do alto, panorâmica, enquanto o mundo rastejava lá embaixo como um cortejo de centopeias.

Certa vez, David conseguiu o autógrafo de um desses autores de best-sellers numa tarde em que o sujeito foi fazer uma leitura para uma multidão que o devorava com os olhos, a ele e à sua barba grisalha bem aparada e à sua pele bronzeada e às suas roupas boas parecendo mais baratas do que eram. Depois, vendeu o livro autografado por um dinheiro razoável na web.

Um outro vendedor tinha orientado: não peça para ele dedicar a você, isso diminui o valor do livro. Basta a assinatura.

Deu certo. David achou que poderia inaugurar um negócio informal fazendo aquilo. Uma boa fonte de renda paralela.

Mas veio a crise e ele foi mandado embora. Viveu de salário desemprego por uns tempos, em seguida arranjou o emprego na loja de materiais de construção e por ali ficou.

Ia para a loja de materiais de construção cinco vezes por semana. Até o dia em que o médico lhe informou seu novo prazo de validade, com o pequeno elefante de pedra verde entre as mãos.

Foi com a garota radiante que David assistiu pela primeira vez a um trompetista tocando ao vivo, numa espelunca no meio de lugar nenhum, entre rodadas de cerveja amarga, e isso havia mudado tudo.

Ele nunca tivera o menor interesse pelo instrumento antes daquela noite canadense. Quando voltou de viagem, comprou um trompete e começou a tentar aprender.

Era absurdamente difícil. Quanto mais difícil parecia, mais vontade ele tinha de aprender e mais se dedicava a tirar melodias consistentes daquilo. Estudava com raiva quase religiosa, como se quisesse ser ouvido por um deus surdo ou indiferente.

Ouvia embasbacado e incrédulo os mestres. Ia a todos os shows gratuitos da cidade que incluíssem um trompetista, e a vários dos que não incluíam. Fazia amizade com pessoas que poderiam lhe arranjar ingressos grátis para os melhores clubes de jazz e blues, o que achava meio interesseiro de sua parte mas ainda assim justificável, dadas as circunstâncias. Não tinha dinheiro para ir a quantos shows quisesse. E, quando essas amizades não valiam a pena, então o lado interesseiro do empreendimento passava a ser mais justificável ainda.

Tempos depois, montou uma banda, e chegaram a tocar aqui e ali, mas se separaram quando o pianista morreu num acidente de carro, depois de um show particularmente bom que tinham feito em Rogers Park, e pareceu estranho continuar sem ele.

Faturavam perto de coisa nenhuma. Mas em noites de show tinham comida e alguma bebida grátis, com ou sem estrelas radiantes. E se divertiam muito.

Naquela época, ele vivia para as noites de show. Agora entendia por que via tantos instrumentistas sorrindo, no palco. Era uma experiência sem comparação. Era uma felicidade sem enfeites — radiante, como a garota da tribo indígena canadense. Era um salto para dentro daquilo que estava acontecendo num determinado instante, um improviso, uma frase, uma nota. E todo o resto passava a ser quase invisível. Sua vida tinha um centro, tinha um núcleo, onde ele respirava e tensionava os músculos da boca e soprava e mexia os dedos sobre o pequeno corpo de metal do trompete. Melhor ainda: sua vida não tinha palavras, nem expectativa.

Naquela tarde diante do lago, David tocou até cansar. Fazia meses que não tinha mais uma banda com a qual ensaiar. Que também já não tinha uma namorada em casa. A dor de cabeça havia passado. Por fim ele guardou o trompete de volta no estojo e caminhou margeando o lago durante mais de uma hora. Começou a sentir fome.

Embrenhou-se pelas ruas adentro, na direção de casa, e foi deixando o espaço aberto para trás. Os corredores, os ciclistas. Os turistas com suas máquinas fotográficas.

Trung e Huong, a mãe de Alex, se entendiam. Trung e Linh, a avó de Alex, se entendiam. Os três eram irmãos que a guerra havia reunido dentro de um buraco, um fosso. Lá em cima havia luz e ar puro, mas não era para eles.

Não há vencedores nem perdedores numa guerra, era o que Trung havia dito a Alex, em longas conversas no banco diante do parquinho, nos arredores do prédio onde anos antes ele e a família dela eram vizinhos. Na guerra, todos perdem, todos esgarçam sua humanidade para que a ideia de uma violência extrema caiba ali, e depois o que fazer com os trapos? Depois os trapos grudam na sua pele como se fizessem parte dela. Como se de fato uma chuva de napalm tivesse caído sobre você. E se você não morre, nunca mais terá como tirar a guerra da própria pele. (E se descobriram que o napalm originalmente não era tão quente, e dava para raspá-lo da pele, então bastou que acrescentassem poliestireno. E se ainda assim dava para pular dentro d'água, então bastou que acrescentassem Willie Pete. O fósforo branco, você sabe. Assim se garantia que a coisa ia até o osso.)

Trung era antes um monge budista, nos confins daquele que Lyndon Johnson chamou de porcaria de país de quarta categoria. Com o fim da guerra, foi mandado para um campo de reeducação.

A alma de Trung tinha ficado em algum lugar lá atrás, entre florestas vivas e florestas calcinadas e memórias confusas, ou então no meio do oceano e de barcos circundados de cadáveres que iam se perdendo no escuro da noite como boias disformes, ou em meio a estranhos cujo olhar nunca deixaria de ser fundamentalmente estranho.

Quanto a Huong e Linh, que conheciam bem essa história (a partir da fase náutica), suas pequenas almas também não pareciam estar ali, presentes, quando seus pés pisavam as calçadas das novas cidades pelas quais passavam. Mesmo quando aprendiam palavras do novo idioma e decifravam os costumes esquisitos de seu novo país.

Suas almas não estavam grudadas no corpo, Alex pensava. Pairavam em algum outro lugar, como se fossem pipas que elas empinavam e que flutuavam lá no alto, onde havia mais ar puro e menos todas as outras coisas.

Mas Alex seria o seu sucesso. As coisas iam se consertar na geração dela. Por isso era tão importante que estudasse. Ela frequentou a escola até quando foi possível, com a barriga inchando. O ano letivo terminou e o ano seguinte, o último, começou, e com ele vieram os meses finais de gravidez. Depois que Bruno nasceu, Rita levava a matéria para Alex, que se dedicava mais do que Rita e tirava notas melhores do que as suas nas provas.

Ela voltou para a sala de aula quando Bruno fez dois meses e sua barriga ainda não tinha acabado de se readaptar ao seu estado não grávido. A pele parecia uma roupa larga demais para o seu corpo.

Alex se sentia confusa, fisicamente confusa, depois de duchas de hormônios e um filho ali dentro e um filho não mais ali dentro e peitos maiores do que os seus peitos modestos de até então.

Na escola, às vezes olhavam para ela como se tivesse ido à lua e voltado. Mas era verdade, ela de fato tinha ido à lua e voltado. Seu pequeno módulo de comando ainda nem tinha acabado de cair de volta no oceano Pacífico, depois de experimentar o mar da Tranquilidade lunar. Que de tranquilo, aliás, não tinha nada.

Huong acordava com Bruno à noite e o levava até o peito de Alex e depois cuidava dele para que ela pudesse descansar e estudar. Uma jovem avó e viúva com quarenta e um anos. Tudo na vida de Huong parecia ter acontecido cedo demais.

Alex chegou ao fim do ano letivo e a irmã mais velha de Rita lhe emprestou um vestido para a formatura.

Este azul vai ficar lindo em você.

O vestido se ajustava bem nos seus quadris de mãe recente, mas ficava frouxo nos ombros estreitos. Ela pegou emprestado assim mesmo. Bruno já tinha sete meses e estava no colo da avó. Linh estava ao lado dela, e Trung também, empertigado por trás de uma gravata e de suas olheiras e de um sorriso genuíno, desses que não precisam ser retocados no espelho do banheiro.

A boca de Alex estava pintada de vermelho. Ela foi pegar o seu diploma e tirou uma foto sendo parabenizada pelo diretor da escola. Todos os seus colegas tiraram fotos sendo parabenizados pelo diretor da escola. Rita foi uma das oradoras. Usava sapatos cor-de-rosa cintilantes, de salto muito alto. O diretor não tirava os olhos dela.

Quando jogaram os capelos para o alto, Alex perdeu o seu e ficou bastante aborrecida, porque lhe parecia absurdo não guardá-lo para sempre. Depois de todo o trabalho que havia dado consegui-lo.

Ela achava que sua mãe devia ter se casado com Trung depois da morte tão prematura do seu pai. E talvez em seu íntimo Trung pensasse que ao se aposentar poderia se juntar a Huong e Linh em mais um exílio, o último.

Porque ele, afinal, também não era um homem de cidade grande.

Porque ele, afinal, vinha do mesmo país rural e ainda por cima tinha vivido num templo, antes que tudo — o país, o templo, sua vida — fosse destroçado.

Mas ele não exibia sinais de aposentadoria. Alex o imaginava morrendo ao final de um dia de trabalho: ele iria para sua salinha, faria as prostrações diante de Quan Âm, e na última prostração inclinaria a cabeça e fecharia os olhos para sempre. Com balas nos bolsos.

Lisa teria insistido que andassem um pouco mais e fossem até o supermercado grande onde havia mais variedade, e depois quem precisa de broto de bambu em conserva?

Mas David notou, pela primeira vez, que o mercado asiático tinha um cheiro próprio — uma mistura de temperos e sabão — e uma aparência própria, menos asséptica, menos iluminada e com menos cara de espetáculo. Gostou disso.

Havia certa desordem acomodada ali, a desordem do mundo real. Os corredores eram estreitos. Nos grandes supermercados ele sempre tinha a impressão de que estava num filme de ficção científica. Provavelmente havia uma sala secreta em algum lugar, onde coisas estranhas aconteciam, longe dos olhos do mundo. Onde animais híbridos eram gerados.

Enquanto ele fazia as suas compras no mercado asiático — pão, tomates, uns biscoitos de arroz, e pegou também uma lata de broto de bambu em conserva — ouviu dois funcionários falando numa língua que não entendia. Era uma língua que avançava aos soluços. Viu bilhetinhos presos atrás do único caixa escritos numa língua que não entendia. Entregou suas compras à garota que somou tudo sem olhar para ele.

David notou que ela era muito jovem. Seus cabelos escuros e lisos estavam despenteados e mal presos num rabo de cavalo, como se ela só quisesse mesmo tirá-los da cara. Ela usava uma espécie de jaleco azul-claro por cima da roupa. Colocou o pão, os tomates, os biscoitos e a conserva numa sacola de plástico (as palavras THANK YOU THANK YOU THANK YOU impressas em três tons de vermelho), entregou a ele e lhe disse o total.

O que significa isso que está escrito nessa placa aí atrás? ele perguntou, enquanto ela contava o troco.

Ela olhou para a placa na parede, e depois para ele também.

Está escrito agradecemos por comprar conosco, falou.

Como é que se pronuncia?

Ela fez um punhado de sons saltitantes com a boca.

Como? ele repetiu.

Ela fez os sons de novo, mais devagar, sem sorrir. Segurava o troco em sua mão pequena.

David agradeceu e foi para casa tentando imitar os sons pela rua, em voz baixa. Como era mesmo? Ele já não se lembrava muito bem. Só lembrava que parecia música. Uma língua musical para que o oncologista e seu elefante verde ficassem ali, quietinhos, naquele território da quase incredulidade. Naquele reino das hipóteses. Tudo bem: naquele reino das certezas, mas das que não são para já.

Ele precisava de um travesseiro por baixo da cabeça, de uma cama por baixo do corpo e de algumas cervejas para fazer com que essas coisas se ajustassem bem uma à outra.

Estava cansado.

Cansaço. Exaustão. Vai piorar com a radioterapia, infelizmente, o médico havia dito ao elefantinho de pedra.

O apartamento estava mais ou menos adaptado à sua nova fase pós-Lisa. Faltava às plantas certa graça de quando ela ainda estava por ali. Mas não tinham morrido, e isso já era um sucesso. Estariam no máximo um tanto mal-humoradas.

Ele colocou para tocar a seleção do *Savoy & Dial Studio Recordings* de Charlie Parker, o homem tocando dez notas por segundo no solo de

"Koko". Bebop para sacudir a alma como quem sacode uma camisa a fim de desamassá-la.

Salpicou comida para os peixes na água do aquário. Pegou uma lata de cerveja na geladeira. Preparou um sanduíche colocando o que conseguiu encontrar entre duas fatias do pão fresco, junto com os tomates. Ainda havia um resto de mostarda no frasco.

Ao abrir a lata de cerveja, percebeu que estava também com sede. Pelo visto seu corpo voltava momentaneamente ao normal, todo órgãos com vontades específicas.

Talvez as coisas fossem acontecer assim, em fases, em ondas. Obedeça, dizia o corpo, naquele momento. Em geral, ele não tinha problemas com isso.

Em geral, aliás, ele não tinha problemas — os únicos problemas pareciam ser aquilo que os outros consideravam problemático nele, esquecendo-se de lhe perguntar se ele concordava ou não.

E daí, ele poderia ter dito a Lisa, se nunca se tornasse um músico de sucesso? Nem todos os músicos fazem sucesso. É preciso um substrato imenso de músicos anônimos e fodidos para que um pequeno punhado coloque as mãos no seu Grammy e depois de morto tenha sua vida transformada em livro e filme. E ele podia fazer parte do primeiro grupo, talvez, e daí? E daí se morresse trabalhando como vendedor numa loja de materiais de construção e tocando o seu trompete numa banda de outros músicos fodidos e anônimos em bares vagabundos?

E daí, aliás, se morresse antes da idade correta, apropriada, esperável, desejável?

Eram só uma vida e uma morte e o universo não ia se desequilibrar com isso. Se David levasse em conta a grande sinfonia das coisas acontecendo e depois deixando de acontecer por aí afora, ele não faria falta.

A cerveja estava gelada. David olhou para os peixes e decidiu que seriam os primeiros da lista.

A televisão exibia um daqueles programas de que o filho de Alex gostava, sobre animais africanos. Manadas de gazelas correndo na savana. Nuvens de pássaros num céu sem limites.

Ele estava deitado no sofá, os olhos grudados na tela. Nas gazelas, na savana. Nas nuvens de pássaros. Na estranha ideia de liberdade — ou talvez alguma coisa com outro nome — que aquelas coisas transmitiam e que ele ainda não sabia formular. Por que é que o coração apertava diante daquelas imagens. O que faltava ou o que sobrava a ele, espectador mirim cheio de filosofia involuntária do alto de seus quatro anos de idade. Seria só porque aquilo era bonito, só isso?

Ele teve febre. Dei o remédio que você deixou, Rita disse.

Ele comeu? Alex perguntou.

Não quis comer.

Bruno, Alex disse. Trung mandou umas balas para você. Mas falou que era para eu dar só depois que você tivesse comido.

Bruno não deu bola, e continou olhando para as manadas de gazelas e para as nuvens de pássaros.

Alex pegou duas notas na bolsa e Rita disse deixa aí do lado do telefone, por favor.

Alex sabia que nem ela nem Rita deixavam dinheiro casualmente esquecido ao lado do telefone. Era talvez seu pequeno teatro, a fim de tirar das coisas, em fingimento ao menos, o peso que tinham e que ambas sabiam que tinham. Como se comentassem, ao folhear uma revista de turismo, que tal se fôssemos juntas de férias às Bahamas no próximo ano. Ha ha.

Me leva no colo, Bruno pediu. Deitou a cabeça no ombro de Alex. Estava mais leve.

Seu pai vinha vê-lo uma vez por mês. Dizia que era um primo distante e Bruno não achava estranho o fato de ele e Alex serem fisicamente tão diferentes, a cor, a altura, os traços do rosto. Os dois só poderiam ser primos à distância de uma encarnação.

Mas Bruno ainda estava na fase anterior a esse tipo de estranhamento. Uma vez por mês recebia a visita do primo muito negro e alto e forte chamado Max, que o levava para a rua e jogava basquete com ele, depois lhe pagava um lanche espetacular sobre o qual ele falaria durante três dias.

Em algum momento vamos ter que contar para ele, dizia o falso primo, que por precaução não se demorava com Alex, e que ela por precaução não pedia que se demorasse. Suas passagens pelo apartamento onde ela morava com o filho eram rápidas e arriscadas. O arco voltaico era visível e Alex tentava disfarçá-lo empilhando várias vezes as mesmas revistas enquanto Bruno se calçava e Max esperava.

A gente pensa nisso quando o momento chegar, Alex respondia.

Mas ela sabia que a cada mês, a cada dia, a situação do técnico de basquete ficava mais delicada junto à sua família. Uma coisa é você dizer à sua mulher que teve um caso, e a moça (uma menina, dezessete anos) engravidou e decidiu ter o bebê. Já é ruim o bastante. Outra coisa é você dizer à sua mulher que há alguns anos teve um caso e a moça (naquela época uma menina, dezessete anos) engravidou e teve o bebê — que hoje, bem, hoje é um molequinho que já demonstra grande talento para o basquete: decerto puxou ao pai, que aliás o visita pelo menos uma vez por mês.

Um dia talvez Bruno somasse a cor da pele daquele primo gentil à cor da pele de sua mãe e concluísse que o resultado bem poderia ser a cor da pele dele, Bruno. Seria como combinar dois baldes de tinta.

E esse seria o momento, talvez, de lhe dizer que não, seu pai não tinha morrido daquela tal doença que às vezes levava os pais dos meninos pequenos antes da hora para um lugar agradável onde eles podiam passar as tardes jogando cartas e comendo pipoca com M&M's.

Mas o momento ainda não tinha chegado. Ele ainda não tinha feito a aritmética simples dos baldes de tinta.

Mais tarde, Alex fez um café e foi terminar de escrever o trabalho para a faculdade. Chupou uma das balas de Bruno. Lembrou-se de Trung e de seu pedido de que sorrisse um pouco mais, no trabalho. Debruçada sobre a mesa de fórmica e o computador que estava esquentando demais e às vezes desligava sem mais nem menos, de modo que ela precisava se lembrar de salvar o que escrevia a cada frase, ela se prometeu que no dia seguinte ia se lembrar de retocar a expressão do rosto todas as vezes que fosse ao banheiro.

2

No sonho de David, eles o enfiavam numa ambulância. Era de noite e os vizinhos olhavam, desolados, e as vizinhas cobriam a boca com a mão. Tão jovem! Havia um pequeno grupo de curiosos em torno da ambulância. Como nos filmes: casais abraçados, protegendo-se da dor.

Ele se sentia sozinho, uma solidão maior e mais funda do que imaginava possível. As pessoas falavam. As luzes ofuscavam e mãos o seguravam como se fossem grandes aranhas mutantes e enfiavam tubos pelo seu corpo, que em seguida conectavam a aparelhos estranhos. A ambulância sacolejava pelas ruas e a sirene fazia seus ouvidos doerem, fazia sua cabeça doer.

David queria que alguém viesse falar qualquer coisa com ele, puxar assunto, fazer um comentário sobre o tempo. Quem sabe uma enfermeira pudesse segurar sua mão de um jeito menos artrópode. Queria que alguém diminuísse as luzes e desligasse a sirene e acabasse com aquele sacolejar insuportável.

Portas se abriam para que ele passasse, arrastado em sua maca, no hospital. Ele estava morrendo, e sabia. As pessoas não iam deixá-lo morrer, e ele também sabia. Viraria um objeto em cima de uma maca, que só por coincidência teria um cérebro ainda pensante e estranhas emoções e ansiedades que objetos não tinham.

Viraria um objeto com coisas a dizer, às quais ninguém prestaria atenção porque objetos não falam, e quando falam as pessoas fingem não ouvir.

Ele gostaria de pedir uma cerveja. Gostaria de uma televisão para assistir ao jogo. Gostaria que lhe trouxessem o trompete ou um livro e tirassem todos aqueles tubos infernais do seu corpo e o deixassem morrer em meio a um blues, longe dali, diante de um lago ou de uma praia ou num bar ouvindo Ella Fitzgerald cantar "Sweet Georgia Brown".

Na segunda-feira, no trabalho, ele não falou muito. Não queria mencionar doenças nem tratamentos recomendados ou desaconselhados, nem o fato de que não duraria até o fim do ano e não poderia comparecer à festa dos funcionários (e ex-funcionários seletos), ocasião em que quase todos bebiam demais e ficavam primeiro exageradamente efusivos, depois sentimentais, por fim um pouco tristes.

Foi um prazer trabalhar com vocês, muito boa sorte a todos e lembranças à família, Bob. Sim, é claro que nos vemos por aí. Melhoras à sua mãe, Pedro.

Por um instante David achou estranho que tudo aquilo fosse continuar existindo e funcionando sem ele e depois dele.

Se houvesse como voltar dali a dez anos: será que Bob, o supervisor, continuaria ali, só que dez anos mais velho? Comandando um esquadrão de vendedores? E os vendedores sênior estariam ensinando aos vendedores júnior os truques do ofício? Passeando seus sorrisos profissionais por entre tijolos, telhas, tubos de PVC, latas de tinta?

A gente vai sentir falta de você. Mas boa sorte, cara. Vê se arranja alguma coisa melhor do que isto. Vá continuar os estudos.

Estudos custam dinheiro, Bob.

Tenta uma bolsa. Pega um empréstimo. Você é inteligente, seu lugar não é entre gente como nós.

Entre gente como vocês.

Você sabe o que estou querendo dizer, cara. Vá fazer alguma coisa mais importante da vida. Para mim é a porra do fim da linha, eu vou morrer aqui, com quatro bocas em casa para sustentar. Não tenha filhos.

(David escutava.)

Aliás, não se case. Família só serve para você dar adeus a qualquer sonho e virar uma máquina de encher a barriga dos outros.

(David escutava.)

E quando os filhos finalmente saem de casa, Bob continuou, a sua mulher não é mais a garota bonita e gentil por quem você se apaixonou vinte anos antes, mas nem dá para culpá-la, se você mesmo também se transformou num ogro e tem preguiça de levar flores para casa e de convidar sua mulher para dançar.

Você não é um ogro, Bob.

Ainda não. Mas é o que a vida em família acaba fazendo com a gente. A menos que.

A menos que o quê?

A menos que você seja rico, é claro. Tudo é muito diferente quando a pessoa tem dinheiro. Se as coisas ficarem feias, é só você sair num cruzeiro por uma semana, e ficar admirando o corpo bem cuidado da sua mulher e encher a cara de drinques com bandeirinhas coloridas. Então, se você estiver pretendendo se casar e botar mais gente no mundo, dê um jeito de ficar rico primeiro.

David riu.

Pensa que eu estou brincando? Estou falando sério. Você tem estudo, cara. Pode ir para a universidade. Tirar um diploma numa dessas coisas que dão dinheiro. Estudar para médico, para advogado. (Ele fez uma pausa breve.) Você não tem pais ou irmãos que possam te ajudar? Cadê a sua família?

Minha família? Aqui na sua frente.

Bob estalou a língua.

Sei como é. O velho barbudo lá em cima às vezes não facilita as coisas para a gente. E às vezes a pessoa vai à igreja todo domingo e tudo mais, e tenta andar na linha — e andar na linha é difícil, como eu tenho certeza de que você sabe — mas vai entender o que se passa pela cabeça do chefe. Bem, você sempre pode tentar uma bolsa. Ou pegar um empréstimo.

David disse que ia pensar.

Bob o abraçou, seus braços enormes e cabeludos espremendo-lhe os ombros. Seu queixo duplo fazendo com que parecesse mais gordo do que era. Ele poderia ser o irmão mais velho de David. Desses que protegem o irmão mais novo na escola e compram todas as suas brigas.

David foi até o departamento de pessoal, fez o que tinha de ser feito. Detalhes foram acertados, entre eles que continuaria a pagar do próprio bolso o plano de saúde — ele que nunca havia dado a menor bola para isso, ele que imaginava esse tipo de preocupação pertencente a uma outra fase da vida. A um futuro tão distante que era quase ficção.

A moça que o atendeu reprimiu um bocejo. Tinha as unhas compridas pintadas de rosa cintilante com flores brancas.

Bonito, ele disse, e apontou para as unhas.

Não sabia muito bem por que estava fazendo aquilo. Não achava bonito. Queria dizer alguma coisa gentil.

Ela sorriu e esticou os dez dedos na frente do rosto, para melhor admirá-los.

Minha manicure é uma artista, ela disse. Não pense que cobra barato. Mas foi meu aniversário, daí eu pensei, você sabe. Eu mereço.

Parabéns pelo aniversário.

Obrigada, e ela sorriu em meio a um suspiro. Trinta anos. Já estou me achando meio velha. Mas me disseram que é agora que a vida começa a ficar boa.

As dez unhas pintadas de rosa cintilante com flores brancas gesticulavam na ponta dos dedos enquanto ela falava.

Não, você está muito longe de ficar velha, David falou. E é verdade, vai ver que é agora que a vida começa a ficar boa.

Era impressionante a facilidade com que se podiam desconstruir certas coisas, ele pensou. Você passava dias, meses, anos da sua vida empilhando os tijolinhos, dava trabalho, era suado, e para pôr tudo abaixo às vezes bastava um sopro. Segurar a porta aberta e dizer tchau, Lisa, em vez de por favor, Lisa, fique. Pedir as contas ao patrão.

Mandaram que repetisse os exames, então ele repetiu. E os exames, com a paciência infinita de mães ensinando aos filhos como amarrar os sapatos, repetiram os resultados.

Na clínica, lhe deram uma lista do que fazer para evitar ou pelo menos diminuir a exaustão causada pela radioterapia, que começaria em breve. Ele leu os primeiros itens da lista no metrô.

Tente dormir pelo menos oito horas por noite.

Exercite-se (por exemplo, de quinze a trinta minutos diários de caminhada, ou yoga).

Tente não fazer muita coisa.

Aceite ajuda das pessoas em casa.

Ele precisaria primeiro colocar pessoas em casa, pensou. Não era uma boa ideia. Teria que pular esse item.

Claro, havia os vizinhos. Havia Teresa, no segundo andar, que ele quase podia chamar de amiga e de quem seria mais próximo não fosse o marido dela sempre parado por perto como o guarda de uma penitenciária.

Pensar em Teresa resolveu, pelo menos, o problema dos peixes. Ele se lembrou do filho dela, Nico, que vivia pedindo para ir ao seu apartamento ver os peixes. David sabia que o menino era fascinado por eles e que tinha pedido um aquário de presente de aniversário, com poucas chances de ser atendido.

Foi até a porta de Teresa, algumas manhãs depois. Escutou do lado de fora os barulhos da família à mesa e tocou a campainha.

Tinha o aquário desde antes de conhecer Lisa. Intrigava-o um pouco a natureza daquela relação: como ele podia ter se apegado àqueles bichos que se moviam dentro d'água com corpos tão diferentes do seu, coloridos e viscosos, em ritmos tão diferentes do seu, com vidas tão diferentes da sua? Olhar para os peixes atrás do vidro o reconfortava, mesmo que David soubesse ser estranho a eles como um deus. Um deus que limpava o aquário e salpicava comida na água a intervalos regulares.

Teresa abriu a porta. Atrás dela havia uma mesa surrada de fórmica amarela, quatro lugares, de trás da qual avultava o corpo imenso e obeso do marido. Seu filho tinha os olhos perdidos dentro de uma tigela de cereal, que remexia com uma colher.

O que houve? Teresa perguntou, alarmada.

Desculpe a hora, Teresa. Vim perguntar se vocês por acaso se interessam em ficar com o meu aquário. Com os peixes dentro, é claro.

Teresa olhou para a mesa. Seu filho agora fitava David com o maior par de olhos do mundo.

Você foi lá pedir a ele o aquário? ela perguntou, colocando a mão na cintura.

O menino sacudiu a cabeça negativamente.

Não, ele não foi pedir, David falou. Eu é que estou querendo dar o aquário.

Por quê? É bonito!

Ele deu de ombros.

Só estou. Achei que talvez vocês quisessem.

Nico endireitou as costas e foi quase possível ouvi-lo prender a respiração.

O pai comia garfadas de um morro indefinível num prato de sopa, e não parecia prestar atenção em nada do que acontecia na sala de sua casa, naquele momento, fora da área do prato.

Assim, de graça? Teresa perguntou. Um aquário igual ao seu é caro.

Eu sei. Mas vocês podem ficar.

Ué, então eu acho que a gente quer, ela disse. E olhou para o filho, e olhou para o marido, e olhou de novo para David.

O marido levantou os olhos e disse, enquanto mastigava, esse negócio de aquário dá o maior trabalho. Tem que limpar, de tempos em tempos, e tem que comprar comida para os peixes, e coisa e tal.

Depois ele baixou os olhos de novo e bebeu um gole de refrigerante.

David pensou num possível diálogo entre o filho e o pai: posso tomar um pouco de refrigerante também? Não. Mas por que eu não posso tomar refrigerante no café da manhã se você toma? Porque não. Porque você é criança.

A testa do pai brilhava no alto de seu rosto obeso. Sua respiração fazia barulho, o fole dos pulmões dentro do peito. Talvez o menino contemplasse toda aquela comida e bebida entrando no corpo do pai como a matéria-prima entrando numa fábrica imensa, carvão, troncos de árvores. E a fábrica inchava e apitava e fumegava com o esforço de funcionar. E o produto da fábrica era a vida daquele homem, sua vida pesada e arrastada e de uma infelicidade cem por cento normal.

Você vai cuidar dos peixes? David perguntou ao menino.

Ele fez que sim com veemência. E perguntou posso ir lá buscar agora?

Você não tem que ir para a escola?

Nico ficou visivelmente frustrado. Talvez um aquário grátis justificasse não ir à escola?

É, respondeu.

Depois, então. A que horas você volta?

Às quatro, ele disse, e olhou para mãe, em busca de confirmação.

Dois olhos castanhos cintilando de incredulidade ante a própria sorte.

Então você passa lá às quatro, vou estar te esperando.

Eu não vou limpar aquário, disse o pai, mas nem Teresa nem o filho pareceram prestar atenção.

Ela ofereceu a David uma xícara de café, e será que ele não queria uns ovos mexidos?

Não, obrigado, acabei de comer, ele mentiu.

Então você leva uma fatia de bolo. Para mais tarde.

Não precisa, Teresa, obrigado.

Não é questão de precisar ou não precisar, toma aqui, para mais tarde.

E ela cortou uma fatia de bolo e embrulhou num guardanapo de papel e lhe entregou.

David foi para a rua. Caminhou até o Buttercup Park e se sentou num banco. Um velho com uma camisa branca muito velha sentou-se no banco ao lado com um jornal e um cachorro. O cachorro também era velho e não usava coleira. Acompanhava o homem fazendo pensar em dois camaradas entre os quais as palavras já tinham deixado de ser necessárias.

O homem abriu o jornal. O cachorro foi se deitar num pedaço de grama esfarrapada a alguns metros dali. Colocou a cabeça entre as patas dianteiras e seus olhos caídos ainda se moveram devagar para um lado e para o outro antes de se fechar de todo. Nos seus sonhos ele talvez corresse atrás de uma bola de tênis, todo músculos e energia. Talvez fincasse as patas dianteiras num tronco de árvore, colocando-se de pé, para farejar um esquilo, e o esquilo subiria em disparada até os galhos mais altos, como sempre, e lá embaixo ele latiria sua frustração, como antes.

O homem tinha o queixo projetado para a frente e barba por fazer. Usava um boné branco onde se lia COLOSSEO em letras pretas, dentro de uma oval preta.

O que viria depois dos peixes? David pensou. Podia distribuir um aviso no prédio. Sofá, cama, panelas, toalhas — que eles viessem buscar o que quisessem. Suas coisas não estavam em muito bom estado mas sempre podiam servir a alguém. Se afinal lhe serviam.

Ele guardaria na mochila umas mudas de roupa. Do que a pessoa precisava, realmente precisava, numa situação como a sua? De muito pouco. De quase nada.

O homem com o boné do Coliseu olhou para ele.

Quer o caderno de esportes? perguntou.

David demorou um instante para entender. Era um bom sinal ele lhe oferecer o caderno de esportes. Indicava que transmitia uma ideia de saúde, de energia física, não? Decerto não ia lhe oferecer o caderno de negócios, que David imaginava que ele também não fosse ler.

David aceitou o caderno de esportes. Folheou, tentando prestar atenção.

Quer uma fatia de bolo? perguntou ao homem com o boné do Coliseu, instantes depois.

Hm?

Uma fatia de bolo. A minha vizinha acabou de me dar, feito por ela, mas acontece que eu ando meio sem fome.

Você ainda é muito jovem para ficar sem fome.

Estou doente.

Hm. Coisa séria?

Infelizmente sim.

Mas vai ficar bom?

Infelizmente não.

O velho com o boné do Coliseu suspirou. Olhou para o cachorro. Olhou para David.

Hoje em dia a medicina está muito avançada, ele disse.

David não disse nada. Entregou-lhe o bolo embrulhado no guardanapo de papel.

Ele abriu, tirou um naco, pôs na boca.

Hm. Tem certeza de que não quer?

Tenho.

Não, é claro que ele não estava entregando os pontos. Por acaso estava deprimido? Desesperado?

Era justamente isso, ele não ia entregar os pontos. Estava determinado a não se comportar como o doente clássico, aquele que se faz as mais ridículas das perguntas — mas por que logo eu? mas por que justo agora? etc.

O médico havia sido claro. Já era, rapaz. Seu tempo acabou — noutras palavras mais gentis, disfarçadas, medicinais. Mas temos aqui essa tentativa de distensão da vida, pense nela como um elástico, vai dar para puxar mais um pouco, um pouco mais, até que realmente arrebenta, claro. Como é da natureza dos elásticos.

Você pode considerar uma espécie de bônus esse tempo a mais. Trata-se da vida, da sua vida, e até onde sabemos é a única que tem. Então, não faz sentido? Ainda que sejam alguns meses a mais. Algumas semanas a mais. Algumas horas a mais. Mas não é o que fazemos o tempo todo? Distender a vida?

Tinham lhe dado um monte de papéis na clínica. Um deles listava os efeitos colaterais do elástico em questão (a radioterapia). Cansaço, perda de apetite, perda de peso, perda de cabelo (em geral temporária, mas pode ser permanente — ocorre apenas na área do corpo que está sendo tratada), ansiedade e depressão, problemas intestinais e estomacais, rigidez nas juntas e nos músculos.

Havia também uma lista de efeitos colaterais a longo prazo, mas — que sorte a sua! — desses David estava livre. Não iam alcançá-lo a tempo.

Não, ele não ia entregar os pontos. Fincou os olhos no resultado do jogo da véspera, no jornal, tentando registrar os números — números eram mais simples do que palavras — enquanto o homem terminava de comer o bolo.

As migalhas que caíam dos seus dedos troncudos atraíam os passarinhos.

David pensou em Lisa. Em como, pela primeira vez, era estranho estar sem ela. Sozinho.

Como era estranho estar tão sozinho, um fosso entre ele e o velho com o boné do Coliseu ainda que trocassem palavras, um jornal, uma fatia de bolo, entre ele e o seu cachorro e as outras pessoas que passavam por ali, sob aquele empenhado sol de primavera.

E no entanto ele não era um fantasma, não ainda. A diferença era que as outras pessoas não sabiam qual o seu prazo de validade, mas David sabia qual era o seu.

Talvez o homem com o jornal morresse antes dele — talvez morresse naquele mesmo dia, debaixo do chuveiro. E o cachorro? Talvez o cachorro nem se levantasse da grama onde dormia. E a mulher correndo, tão atlética, de short e camiseta e óculos escuros especiais? Atropelamentos acontecem.

Era assim. Tudo por um fio. Sempre por um fio. E você nunca sabia em que momento, exatamente, o fio ia fazer *snap*.

O mundo andava menos nítido. Alguém estava brincando de apagar com uma borracha os contornos dos acontecimentos. Até mesmo os contornos dos pensamentos de David. Às vezes era difícil acompanhar uma ideia até o fim.

Mas, para se ater ao seu plano e não deixar as coisas ficarem vagas demais, ele se concentrou na tarefa seguinte: esperar a agência do banco abrir. Tinha escolhido o caminho da praticidade. E vamos deixar o drama de fora. Tudo vai dar certo. É um bom plano. Honesto, realista, sensato.

Às nove horas se encaminhou à agência. Como ele sabia, não era muito o que tinha na conta. Sacou a metade e pegou com uma gratidão diferente as notas que a moça do caixa lhe entregou depois de contá-las com seus dedos treinados (que bonito anel de noivado, David disse, subitamente atento às mãos das mulheres. Que coisa fantástica, as mãos das mulheres. É, ele escolheu bem, ela disse).

Ali estava metade de todo o dinheiro que tinha no mundo. Era uma piada. Sendo uma piada, ele não pôde deixar de rir, e a moça do caixa riu também, feliz com seu noivo e com seu noivado e com seu anel de noivado bem escolhido pelo seu noivo, e feliz porque David parecia feliz ao sacar o dinheiro e porque diante de tudo isso os dois podiam somar as suas felicidades naquela manhã de quinta-feira e rir juntos.

E David ria não apenas porque aquilo era uma piada, mas porque todo o dinheiro que tinha no mundo era, agora, mais do que viria a precisar.

Explicou a ela que estava se mudando e que em breve iria encerrar o seu relacionamento com o banco (foi o que disse, com essas exatas palavras de homem de negócios: encerrar o seu relacionamento com o banco). E queria saber como proceder.

Ah, ela disse. Nesse caso precisa falar com a gerente.

David esperou pela gerente sem um traço de impaciência. Pegou uma bala no cesto de balas para os clientes, e o azedo do limão fez aquele lugar no canto dos seus maxilares se crispar. Ouviu as orientações de que precisava e foi embora. Então era mesmo possível ir tirando as tomadas da parede, uma a uma. Uma a uma. Sem que praticamente ninguém notasse.

Com o fim da guerra, Linh tinha queimado todas as fotos e cartas do pai de Huong, o soldado estrangeiro, o soldado inimigo. De todo modo, era muito pouco o que as duas levavam consigo ao aportar na América.

Era o início dos anos oitenta. Huong era uma adolescente de dezessete, semianalfabeta em sua própria língua, e não conhecia a nova língua que devia falar a partir dali. Mas não demoraria muito para aprendê-la, depois que se mudou. Aquele era um caso clássico de decifra-me ou te devoro.

Alex não sabia se os sorrisos de sua mãe eram subserviência ou se vinham de uma fonte inesgotável de tolerância com o mundo. Como se o mundo fosse uma criança travessa que ela haveria de compreender sempre. E perdoar na maioria das vezes.

Huong conseguiu trabalho como manicure, alguns meses depois de sua chegada. Não que fazer unhas fosse um talento especial seu, mas tudo se aprende. A agência que recebia os refugiados e tentava encaixá-los na sociedade, aquelas peças anômalas que eles eram, ajudou.

Trabalhava quatro vezes por semana no salão, e entre ela e suas clientes não havia palavras, só unhas. Era como se ela e o seu novo mundo realmente só se tocassem com as pontas dos dedos.

Ela mantinha os olhos baixos, fixos na mão da cliente. A cliente mantinha os olhos baixos, fixos numa revista.

Nunca estariam irmanadas, nem mesmo naquela preocupação estética que reunia as duas por motivos distintos. Colocar as mãos de molho e afastar as cutículas das unhas e lixá-las e pintá-las com esmalte brilhante. Unhas vermelhas, unhas cor-de-rosa, que importava. O que importava era que a despeito de tudo as mulheres iam fazer as unhas, as mulheres não deixavam de fazer as unhas, e Huong estava ali para atendê-las.

Nos dias de folga, ela ia trabalhar como arrumadeira na mansão onde acabou conhecendo o pai de Alex.

Tirava a poeira imperceptível dos objetos decorativos. Passava o aspirador de pó em carpetes altos, onde seus pés afundavam. Limpava o vidro de porta-retratos que exibiam pessoas sorridentes em situações variadas de êxito. Lavava a caneca de café, na cozinha, onde tinha aprendido a ler a frase AS PESSOAS BEM-SUCEDIDAS TRANSFORMAM EM HÁBITO AQUILO QUE NÃO GOSTAM DE FAZER. A palavra HÁBITO em letras vermelhas. O resto em letras pretas. A frase não fazia muito sentido.

Mas tantas eram as coisas que não faziam sentido na América.

Um gato angorá, que parecia um grande chumaço de algodão cinzento, observava-a trabalhar, sentado no parapeito da janela.

Na mansão havia uma grande pintura a óleo, em tons escuros, do profeta da religião deles, que ela sabia se chamar Jesus Cristo. No quadro, Jesus Cristo tinha uma coroa de espinhos e gotas de sangue na testa, e ao olhar para ele Huong se sentia muito, muito triste.

Em seu apartamento, Alex tinha um porta-retrato com uma foto de seus pais e sua avó. O apartamento estava precisando de uma faxina, ela sabia, mas teria de esperar. O porta-retrato estava empoeirado contra a luz.

Alex passou a palma da mão, na falta de um pano, e olhou para os três imobilizados ali, sua avó sentada, seus pais de pé ao lado dela. Seus pais olhavam para a câmera, sua avó não. Investigando o retrato com mais atenção, a impressão que dava era a de que ela não estava olhando para lugar nenhum, muito embora seus olhos estivessem bem abertos.

As duas mulheres contavam com ela, e Alex sabia disso muito bem, para cumprir a função clássica de começar de novo. Linh e Huong eram a sua família, mas era como se houvesse uma linha divisória ali. Como se o passado fosse contagioso e tivessem que protegê-la dele.

Alex e Bruno, tão jovens, estavam na soleira de outra coisa, de outra vida. Não tinham nenhum erro de fabricação. Alex frequentava a universidade. Teria um diploma, um dia.

Quando Linh e Huong se naturalizaram americanas, a pessoa que aplicou a prova de inglês e de conhecimentos gerais disse agora vocês podem até concorrer a um cargo político. Só não à presidência da república, infelizmente, ha ha. E Linh e Huong riram também, ha ha.

Pois bem, Alex e Bruno podiam até mesmo isso. Podiam vir a ter o mesmo cargo de Ronald Reagan, que era o presidente quando Linh e Huong chegaram do outro lado do mundo, e de George W. H. Bush, que era o presidente quando Alex nasceu.

Ronald Reagan era ator, antes, Huong contou à sua mãe.

Mentira, Linh disse.

Então Huong alugou na biblioteca pública uma fita de videocassete (o aparelho, um JVC de 1978, tinha sido doado por alguém através da agência de refugiados) com o filme *Kings Row*, estrelando Ronald Reagan, e mostrou a Linh. Que no entanto não se convenceu.

Mas veja o nome dele escrito ali, Ronald Reagan.

Linh continuou desconfiada. Estavam querendo lhe pregar uma peça. Só porque um ator de cinema se parecia com o presidente dos Estados Unidos da América.

Aos vinte anos, Huong conheceu o pai de Alex, um encanador chamado Benjamin que tinha ido consertar um vazamento na mansão onde ela trabalhava como arrumadeira às segundas e quintas.

Sendo uma mansão, os dois encontraram espaços de privacidade onde conversar por alguns instantes, e bastou.

Benjamin era muito mais velho do que Huong e tinha (mas ainda não sabia) uma doença grave no coração. Ele era divorciado e não tinha filhos. Um homem afetuoso e tímido, com generosas entradas na testa, era do que Alex se lembrava.

Huong mal chegava aos seus ombros, e quando ele a abraçava ela parecia menor ainda. Eles eram um casal peculiar, como duas peças de roupa que não combinam uma com a outra mas que por outro lado são confortáveis, boas de usar, e se ajustam bem ao corpo, então por que não?

Benjamin falava baixo e pouco. Nunca perdia a calma. Jogava pingue-pongue extraordinariamente bem, e ensinou a Huong. Quando era pequena, Alex gostava de vê-los jogar, hipnotizada pelo *tatac tatac* tão veloz da bolinha branca. Chegou a tentar também, por algum tempo, mas logo perdeu o interesse. Huong não: as partidas entre ela e Benjamin eram encarniçadas, apaixonadas, eram duelos de vida ou morte. Quando Huong perdia, sempre ficava algum tempo irritada com Benjamin. Mencionava obstruções que não tinham sido respeitadas na partida. Sossegava quando ele prometia lhe dar alguma vantagem na próxima.

Benjamin tinha um conjunto de ferramentas de trabalho que fascinavam Alex, mais ainda pelo fato de serem território proibido. Coisas ferozes capazes de decepar dedos de menininhas curiosas.

De vez em quando ele lhe emprestava a lanterna amarela, um dos poucos itens seguros de sua maleta. Ela ia para a janela e tentava iluminar os cômodos escuros no prédio em frente, o caminho de alguém que passava lá embaixo, o fundo do céu lá em cima.

O encanador Benjamin e o ex-monge budista Trung se tratavam com grande cordialidade. Eram quase bons amigos. O pai de Alex saía de cena quando as coisas ficavam por demais vietnamitas entre Huong, Linh e Trung, quando os três começavam a conversar em sua língua e se sentavam de cócoras no chão de um jeito que o corpo dele não permitia.

Benjamin dava de ombros, sorria, ia pegar uma bebida na geladeira.

Alex tinha as mãos dele.

Sua avó nunca tinha procurado por seu antigo companheiro, depois que chegou ao país dele com a filha já adolescente.

Por que procurar? ela disse a Alex, uma vez.

Se estivesse vivo, ele provavelmente tinha outra família. Filhos, netos. Por que invadir a vida do sujeito, trazer-lhe problemas?

Talvez Linh tivesse razão, Alex pensava. Às vezes as coisas se acomodavam de uma determinada maneira e se você fosse lá revolver o fundo perigava levantar uma grande nuvem negra de lodo que ia atrapalhar a visão de todo mundo.

Huong não chegou a conhecer seu pai americano. Ele foi transferido de Da Nang para uma outra base bem mais ao sul quando Linh estava grávida, e depois sumiu de todo. A guerra ainda duraria nove anos, mas ele nunca mais apareceu.

As cartas para Linh chegaram durante algum tempo, depois foram interrompidas de súbito.

Ele e Linh tinham se conhecido quando ela trabalhava num bar perto da base americana em Da Nang. O soldado lhe ensinou algum inglês. Empenhou-se genuinamente em aprender meia dúzia de frases em vietnamita, e Linh ria muito da sua falta de talento. Ele ria também, e dizia é impossível! Enquanto isso, o verão soprava o seu bafo úmido pelas ruas, pelas casas, sobre o corpo das pessoas.

O meu soldado gostava de mim, Linh dizia. Ele era tão jovem, um rapaz ainda tão jovem. E tão bonito.

As cartas e fotos foram queimadas com o fim da guerra. A avó e a mãe de Alex já não possuíam um único traço do avô dela. Exceto, claro, os traços do rosto de Huong, de que ela não tinha como se livrar.

As crianças na escola diziam a Huong vá para casa, americana! (Diziam também que Huong tinha doze cus — o insulto padrão, que rimava, em vietnamita, e as crianças achavam delicioso repetir.) Ela acabou desistindo de frequentar a escola, porque reclamar com os professores não adiantava, e indo ajudar a mãe em tempo integral no campo. O que colhiam não era o bastante para viver.

Mas as pessoas às vezes vivem mesmo sem ter o bastante para viver, Huong disse a Alex uma vez. O corpo resiste. Você acha que já é o fim, e ainda não é. Então um pouco depois você acha que *agora sim* já é o fim, e *ainda* não é.

Ela sentia saudades? Do Vietnã?

Nós nascemos lá, Huong disse. Claro que sinto saudades.

E ela enxugava os olhos.

Mas — Alex disse.

(A memória misturava o passado. Coisas boas, coisas ruins.)

Nunca foi fácil, disse Huong. Nem lá, nem aqui.

Linh vinha de uma família do norte. Mudaram-se para o sul nos anos cinquenta, quando ela ainda era criança, mas Linh se lembrava. Ela se lembrava do rio. Sông Hồng. E das marionetes dançando na água. Tinha saudades disso. Ou pensava que tinha.

Se pudesse você voltava? Alex lhe perguntou.

A coisa para a qual eu gostaria de voltar não está mais lá.

Alex sabia o que era. Uma outra vida que sua avó teria vivido em lugar daquela. Como se voltasse o filme a um determinado ponto e as cenas seguintes fossem outras.

O avô americano de Alex se chamava Derrick. Sargento Derrick. Essa era toda a informação que tinha dele, além do fato de ele ser bonito e ter passado uma temporada na base de Da Nang, durante a qual se envolveu com uma jovem vietnamita chamada Linh, com quem teve uma filha chamada Huong.

Ponto final, *exit* Derrick.

Enquanto Alex tirava com a palma da mão a poeira do porta-retrato, Bruno colocava na mochila a revista para colorir e os lápis de cera. Era dia de se encontrar com o primo simpático no fim da tarde.

Às vezes eles desenhavam juntos, durante o lanche. O primo Max não tinha nenhum talento para as artes e já tinha avisado isso a Bruno. Mas e daí? Era divertido assim mesmo. Ele pegava os lápis de cera e desenhava coisas engraçadas. Extraterrestres roxos com várias orelhas. Um coelho azul que mais parecia um gato. Sua inabilidade artística o tornava um surrealista proficiente. Bruno levava os desenhos para casa e guardava na sua gaveta de cima, que era a gaveta das coisas realmente importantes.

Lá fora, o céu encoberto e nenhuma prévia do verão que começaria no mês seguinte.

Vem cá vestir o casaco, Alex disse a ele.

Haveria chuva. Alex estava com sono. Uma colega de turma havia sugerido pílulas de cafeína. Ela optou por cafeína sob forma de café, uma xícara grande, a caminho da aula — que se arrastou até muito além do suportável.

Alex pensava em outra coisa que não sabia ao certo o que era. A sensação era a de estar assistindo a um filme feito de uma sucessão de imagens que não chegavam a contar uma história coerente.

As palavras do professor saíam de dentro do seu bigode grisalho e morriam no meio de suas frases, e sumiam quase que por completo da memória de Alex.

Os nomes de Fritz Zwicky e Walter Baade foram pronunciados. O ceticismo da comunidade científica quando, nos anos de 1930, o ácido Zwicky, que chamava seus colegas de idiotas, teorizou sobre a existência de estrelas formadas exclusivamente por nêutrons. O descaso da comunidade científica quando Zwicky descobriu a matéria escura ao calcular a massa do aglomerado de estrelas Coma.

Ela teria de rever a aula num livro, mas não faltavam livros ao mundo. Faltavam horas de sono ao mundo. Horas de ócio. A dignidade de não fazer nada.

Se ela ganhasse a bolsa de pesquisa, compraria tempo. O seu próprio tempo.

Compraria passeios à beira do lago com Bruno, e numa noite de verão os dois poderiam se deitar e olhar para o espaço. Cravar os olhos ali e saber que não estavam vendo uma tela escura com um ou outro minúsculo respingo de luz, mas distâncias maiores do que tinham condições de compreender. E alguns corpos celestes cujo funcionamento os cientistas haviam destrinchado, outros que ainda eram um mistério absoluto.

E nesses corpos celestes — quem saberia dizer — outras mães com seus filhos pensando em distâncias, corpos celestes, e naquilo que também não compreendiam.

Arroz parecia uma boa ideia. Uma ideia simples. David tinha lido que culturas orientais inteiras baseavam sua alimentação no arroz. Arroz de manhã, arroz de tarde, arroz de noite.

Nem precisava dar a volta no planeta, aliás: em Capitão Andrade, a terra de seu pai, ele sabia que não havia almoço nem jantar sem arroz, mesmo nunca tendo estado lá. E o feijão por cima.

Comprar arroz, prepará-lo e depois comer parecia uma boa maneira de passar o tempo até que Teresa e o filho viessem buscar o aquário.

No mercado asiático, os cheiros eram os mesmos, mas no caixa havia outra pessoa. Elas certamente tinham turnos, a mulher que estava ali agora, com um ar cansado e sobrancelhas finas, e a garota que ele tinha conhecido antes, no dia da clínica e do elefante de pedra na estante do oncologista. Turnos diferentes, com certeza.

Por isso ele resolveu que voltaria ao mercado no fim da tarde para comprar qualquer coisa, pasta de dentes, e com sorte quem estaria no caixa seria a garota da outra vez.

Mas então estava com vontade de revê-la, era isso? Não cairás em tentação: estar sozinho e continuar assim era fundamental.

Não, é que havia algo nela, na sua seriedade, que o deixava curioso. Assim como o deixavam curioso aqueles soluços que eram as palavras que diziam, na placa atrás do caixa, agradecemos por comprar conosco.

A curiosidade talvez fosse gratuita: pinçar mais alguém a esmo para confirmar outra vez que sim, as pessoas continuavam por aí vivendo suas vidas. Quando você fecha os olhos o mundo não some, continua lá visível para os outros. Não é mais o seu mundo, claro, mas quem foi que disse que o seu mundo é mais relevante, sério ou verossímil do que os mundos dos outros?

Era difícil puxar voluntariamente seu próprio tapete. Requeria às vezes um oncologista dizendo as notícias não são boas.

Como assim, doutor?

E o oncologista derramando um rosário de termos técnicos e mostrando diagramas e os resultados dos seus exames.

Quanto tempo, doutor?

E ele dizendo um número que significava que você teria que ir embora da festa antes do que imaginava.

Não que tivesse sido sempre uma festa, David pensou. Mas alguns momentos definitivamente mereciam gratidão. Talvez a grande festa, aquela maiúscula, afinal fosse isso, fossem os momentos não festa junto com os momentos festa. O joio e o trigo. Tudo junto no mesmo saco.

De todo modo, era uma pena saber que não ia mais poder tocar o seu trompete, nem ia mais poder ouvir Miles tocando "Round Midnight" ou "Spanish Key", o que era ainda pior do que não poder mais tocar ele próprio.

David preparou o arroz e comeu. E ficou esperando Teresa e o menino dentro daquele torpor da tarde ociosa e do estômago cheio. Acabou cochilando.

Quando acordou, foi lavar o rosto e enfiou a cabeça toda debaixo da torneira. Sentiu a água fria escorrer pelo pescoço. Olhou para o seu reflexo no espelho, o cabelo ensopado, a água escorrendo pela cara.

Desenhei os peixes na escola, disse Nico mais tarde, quando ele e sua mãe tocaram a campainha.

Você tem que cuidar deles agora, David falou. Se errar, eles morrem. É uma responsabilidade e tanto.

Transferiram os peixes para uma tigela funda com água, depois esvaziaram o aquário. Deixaram um pouco d'água no fundo para as plantas. David levou o aquário até o apartamento de Teresa, no andar de baixo. Depois voltou para buscar os peixes. Ali terminava uma longa e feliz união. Teresa lhe ofereceu um café e ele resolveu aceitar. Sentia-se mais confortável sem a presença do marido dela.

Mas você ainda não me explicou por que resolveu dar o aquário.

David suspirou e disse eu vou me mudar.

Mesmo?

É. Daqui a um mês. Ou dois.

Mas por quê? Para onde você vai?

Ele resolveu improvisar. Colocou-se de pé, como se estivesse na banda de Duke Ellington no Cotton Club, tirou a surdina do trompete e disse você sabe que Lisa foi embora não faz muito tempo.

(Os saxofones repetiram a frase.)

Mas você está bem melhor sem ela, se quer saber a minha opinião, Teresa falou. Você não perguntou, mas agora eu já disse, pronto.

Resolvi passar um tempo longe daqui. Vou visitar uns amigos noutra cidade, ficar por lá alguns meses. Ver o que acontece.

Que cidade? ela perguntou.

David disse o nome da primeira que lhe veio à cabeça. Nova Orleans (o que os saxofones repetiram, felizes e em uníssono — Nova Orleans era, afinal, um excelente destino).

Então vai deixar o emprego também?

Juntei umas economias, ele falou.

Olha que as coisas não andam fáceis para ninguém, ela disse.

Eu sei. Mas eu sou sozinho, é mais simples.

Espero que você não suma.

Não. Claro que não. Por que eu sumiria?

Somos amigos. Afinal.

O filho dela estava sentado no sofá observando os peixes no aquário como se fosse um programa de tevê. Suas mãozinhas espalmadas no vidro deixariam marcas que ele próprio limparia com a barra da camiseta.

Telefonar para Max era algo que Alex fazia com cuidado. Pode falar um minuto? perguntou.

Posso. O que houve?

Esqueci de te avisar que hoje Bruno saía mais cedo da escola. E tenho que ir para o trabalho, então estava me perguntando se você não podia vir mais cedo.

Mais cedo a que horas?

Agora?

Tenho treino até as duas, ele disse.

Vou levar Bruno para o mercado comigo. Você passa lá quando der?

O mercado era um terreno minado. Alex não queria que aquelas duas áreas da sua vida se comunicassem, não queria a interferência de uma na outra. Pediu a Max que telefonasse quando estivesse chegando e ela levaria Bruno para encontrá-lo na esquina.

Vou te levar comigo para o trabalho, avisou a Bruno.

E o Max?

Ele vai te buscar lá. Ele também trabalha, você sabe.

Eu sei que ele também trabalha. Ele é técnico de basquete. O time dele perdeu o último jogo. O time dele não anda muito bem.

Alex pensou mais uma vez em Max treinando um grupo de homens extra-altos com roupas coloridas a roubar uma bola das mãos de outro grupo de homens extra-altos com roupas coloridas, a fim de enterrá-la numa cesta extra-extra-alta. Todos tinham pés imensos com tênis imensos, e sonhavam com um upgrade de time e um salário astronômico que talvez não viessem a se tornar realidade para nenhum deles.

Bruno ajudou a empilhar latas de sopa e fez desenhos para Trung enquanto Alex atendia no caixa.

Ela se lembrou do sorriso para os fregueses.

O Sputnik 1 foi o primeiro satélite artificial do mundo, ela ouviu Bruno dizendo a Trung. O Sputnik 2 levou uma cachorra chamada Laika para o espaço e ela morreu porque o Sputnik 2 esquentou demais.

Um pouco antes das três, Max telefonou. Alex disse a Bruno que juntasse suas coisas e avisou a Trung que ia sair por cinco minutos.

Tirou o jaleco azul e colocou nas costas da cadeira. Surpreendeu-se ajeitando estupidamente o cabelo e a roupa enquanto caminhava com Bruno até a esquina.

Lá estava Max, um pouco menos alto do que os homens que treinava, um pouco menos jovem, mas ainda assim.

Era sempre um golpe vê-lo, mas ela já tinha se habituado. Era como correr e ficar ofegante, como levantar um peso e sentir os músculos tensionarem, uma consequência física lógica. Vê-lo, desejá-lo, cumprimentá-lo com um sorriso, trocar meia dúzia de palavras e virar as costas.

Ela sabia que em algumas situações não basta virar as costas uma vez: você precisa passar o resto da vida virando as costas, porque o corpo teima em se endireitar e virar de frente outra vez. Para a situação ou pessoa que você ao mesmo tempo quer e quer evitar.

Max, ela ainda pôde ouvir Bruno perguntando a ele, quanto tempo será que leva para um cachorro morrer se ele estiver num foguete no espaço e o foguete começar a ficar quente demais?

O freguês que tinha perguntado o que significava a placa atrás do caixa entrou no mercado, um pouco mais tarde. Cumprimentou-a com um gesto, depois sumiu entre os corredores por alguns instantes. Foi para o caixa levando um tubo de pasta de dentes.

Parece que vai chover, ele disse, e olhou lá para fora.

Acho que já está chovendo, ela falou, decidindo-se pela conversa.

Você volta para casa a pé?

De ônibus. Pego o 81 até Albany Park. Uns vinte minutos daqui.

Para mim era bem mais longe, até o trabalho. Mas pedi demissão.

Ah. Teve algum problema?

Não, não tive nenhum problema. Era um bom emprego. É que vou passar uns tempos fora da cidade.

Entendo (ela não entendia).

Isto é tão estranho. Faz anos que eu moro a dois quarteirões daqui. Mas nunca tinha entrado neste mercado. Estive aqui pela primeira vez recentemente, há umas duas semanas talvez. Você não deve se lembrar.

Eu me lembro. Você queria saber o que significava esta placa aqui atrás.

Agradecemos por comprar conosco, ele disse.

Ela sorriu.

Ele lhe estendeu a mão e disse David.

Alex, ela falou, e apertou a mão magra dele com a sua mão magra.

Será que todas as pessoas que conhecemos, ela se perguntou mais tarde, têm alguma função na nossa vida, algum papel a desempenhar (ou nós em sua vida, o que em essência dá no mesmo)?

Não precisa ser algo grandioso. Podemos topar com alguém na esquina apenas para que esse alguém nos pergunte a direção da rua tal, onde tem um compromisso importante. Podemos cruzar o caminho do cachorro que para e cheira os nossos sapatos, e paramos para que o cachorro cheire os nossos sapatos e foi um pequeno instante que dividimos sem outro objetivo além de dividi-lo, nós e o cachorro.

Esbarramos, trocamos um olhar, uma palavra, seguimos em frente. E a marca fica, o registro daquele evento na memória de um universo ao qual tudo importa. Um espirro importa. Um espirro e um estranho que diz saúde e os dois sons por poucos segundos no ar — um acontecimento.

Tudo importa, o arroz que Huong e Linh plantaram e colheram, o suor escorrendo pelo seu rosto, o hidrogênio metálico no coração de Júpiter, o silêncio do freguês do mercado enquanto ela contava o troco da pasta de dentes.

Alex nunca se sentia devastada pelo clichê da pequenez ao observar as estrelas. Se todas as coisas, literalmente todas as coisas existentes, computavam para a soma total. Desde a unha do seu dedo mínimo até a supergigante Antares.

Qual a função, então, do freguês que comprou pasta de dentes (e, antes, pão e tomates) na sua vida, e a sua função na vida dele?

Ele: ser um freguês e garantir, com isso, seu emprego? Já que caixas de mercado precisavam de fregueses para existir como tais? Ela: somar o preço dos produtos que ele escolhia e lhe dizer o total, que era algo que alguém necessariamente teria de fazer?

Já seria o suficiente, não?

Uma vez Alex tinha perguntado a Trung, o ex-monge Trung, se ele achava que havia de fato alguma diferença entre o bem e o mal, entre o certo e o errado. Na escala do universo. Se a função de todas as coisas não seria simplesmente estar ali, como partes do todo. Se ele não achava que as coisas se completavam, sem qualquer julgamento moral.

Trung parou de varrer o chão para responder. Você já ouviu falar de Thích Quảng Đức? ele perguntou.

Não, Alex disse.

O monge que colocou fogo no próprio corpo em Saigon, nos anos sessenta. A foto ficou famosa.

Sim, eu já vi a foto.

A administração católica do sul estava perseguindo os monges budistas. Thích Quảng Đức queria protestar pela igualdade religiosa. Desceu de um carro no meio de uma procissão junto com dois outros monges. Um deles colocou uma almofada num cruzamento e o outro pegou uma lata de gasolina. Thích Quảng Đức se sentou na almofada e cruzou as pernas. O monge que trazia a lata derramou a gasolina sobre o corpo dele. O próprio Thích Quảng Đức riscou o fósforo. Um jornalista escreveu mais tarde que ele não moveu um músculo nem disse uma palavra enquanto queimava.

Trung pegou a vassoura e continuou a varrer o chão.

E isso quer dizer? Alex insistiu.

Isso quer dizer exatamente o que você acha que isso quer dizer.

Ela não disse mais nada porque tinha a impressão de que sabia a que ele se referia. Responsabilidade? Pensou no monge em Saigon nos anos sessenta, e nos que o imitaram, logo em seguida. Pensou nos monges no Tibete, que vinham fazendo o mesmo havia mais de uma década, sem que ninguém desse muita bola.

A ideia de Thích Quảng Đức riscando um fósforo e ateando fogo ao próprio corpo ficou ali, esvoaçando, por muito tempo, como um pequeno inseto ainda não classificado. O mundo era um negócio para lá de inóspito.

Ela se lembrou dessa conversa com Trung enquanto caminhava para casa depois do trabalho, naquele fim de tarde de quase verão. Tinha decidido ir a pé. Demoraria um pouco, mas Bruno estava com Max e não lhe faria mal caminhar. Parou para comer um sanduíche no caminho.

Começou a chover mais tarde, como previsto. Ela já estava em casa e ainda havia um pouco de luz no céu. Os dias mais longos, cada vez mais longos. Alex gostava deles. Gostava da noite custando a chegar, e da luz insistente no céu, quando era alto verão.

Foi para a janela e viu a chuva desenhando círculos no chão. Cada pingo que caía era um círculo que se expandia e acabava.

Talvez ela devesse pôr a cabeça para pensar em coisas mais práticas. Preparar uma comida para o dia seguinte, estudar. Dar um jeito no apartamento.

Colocou arroz para cozinhar e abriu uma cerveja. Empilhou seus livros sobre a mesa. Teria algum tempo antes que Max voltasse com Bruno.

Às vezes Alex pensava na vida dele, na sua vida doméstica. A mulher, os outros filhos. Não conseguia não se perguntar se ele teria amantes, o que a deixava desconfortável e irritada. O tema se insinuou em sua cabeça diante dos livros que precisava estudar.

Ela puxou a cabeça de volta como uma mula teimosa: aqui. Os livros. O inferno dos cálculos complicados dessa matéria, mas foi você quem escolheu.

Max chegou com os tênis e a barra da calça encharcados e Bruno sonolento no colo.

Acho que está na hora de ele ir para a cama, falou.

Alex pegou Bruno do colo de Max e com isso seus braços e ombros e mãos roçaram nos dele, e a mão dele deslizou com alguma força por cima do seu seio.

Desculpe, ele disse.

Não, tudo bem, você quer uma cerveja? Eu vou colocar o Bruno na cama e já venho.

Eu acho que vou indo, meus tênis estão encharcados.

Claro, tudo bem, então.

O rosto de Alex pegava fogo enquanto ela levava Bruno até o banheiro. Ele escovou os dentes e urinou semiadormecido um pequeno arco amarelado.

Quando ela voltou para a sala, Max estava de pé ao lado da mesa, examinando os seus livros. Os tênis encharcados tinham ficado junto à porta.

Eu sempre soube que você era inteligente, ele disse.

Eu seria inteligente se achasse tudo isso fácil.

Ele folheava os livros enquanto ela abria a geladeira. Tocaram as garrafas de cerveja. Max talvez desconfiasse que não devia estar ali.

Desculpe a bagunça, ela disse. Como está a vida, Max?

Ele se sentou no sofá e deu de ombros. E olhou para Alex.

A vida está igual. Sempre igual.

E isso é bom ou ruim?

Ele riu.

Isso é uma merda, Alex. Cachorros é que gostam de fazer tudo igual todos os dias. Temos um buldogue em casa, ele é assim. Acorda na mesma hora, come na mesma hora, caga na mesma hora.

E se aquele homem se levantasse e viesse abraçá-la. Qual era o medo mais grave, de que ele fizesse isso ou de que não fizesse?

Mas isso não importa. E você, como está, Alex?

Muita coisa para fazer, você sabe. Não dá tempo de pensar na vida. O que às vezes é conveniente.

Foi por isso que resolvi treinar para a próxima maratona.

Ah. Eu não conseguiria. Uma maratona.

Claro que você conseguiria.

Alex fez que não com a cabeça.

É só você treinar, Alex.

Só se treinasse de madrugada, mas acontece que de madrugada é quando eu costumo dormir.

E se você viesse treinar junto comigo. Sempre dá para arranjar um tempo. Na hora do almoço?

Esquece, Max. Esse tipo de coisa não é para mim. Não sou atleta.

Uma ambulância passou lá fora.

Não, é verdade, ele disse. Você é uma cientista. Os estudos estão indo bem?

Estou dando conta.

Deve ser interessante estudar o céu, os astros.

Certas coisas são tão abstratas que às vezes é como se a gente tivesse que distender o cérebro, sabe?

Como um maratonista tentando melhorar seu tempo.

Ele terminou a cerveja em silêncio, colocou a garrafa vazia sobre a pia e agradeceu a Alex.

Vou indo. Você sabe.

Sim, ela sabia.

Max calçou os tênis que estavam junto à porta, olhou para ela com uma expressão que desviou para a saída antes que pudesse começar a significar alguma coisa e foi embora. Alex ficou como que chumbada no lugar, no chão, sem mover os pés de onde estava, enquanto o imaginava descendo a escada e depois pisando nas poças d'água lá fora, na rua.

O resto do estudo teria que ficar para o dia seguinte. Ela teria que acordar um pouco mais cedo, antes de Bruno. Guardou o arroz na geladeira e foi para a cama, colocou o despertador para as cinco e meia e adormeceu quase imediatamente.

A oeste ainda havia um resto quase imperceptível de luz no céu, para quem quisesse notar.

3

Teriam sido diferentes as coisas com uma família por perto? O fato de David não ter parentes próximos, só uns primos espalhados por aí, com quem não sentia a mínima vontade de entrar em contato, sem dúvida tornava o processo mais simples. Seus amigos músicos estavam ocupados com suas próprias vidas, com suas alegrias e infelicidades pessoais, seus carros precisando de conserto, seus bicos para fechar um orçamento que nunca fechava.

Paco, o baterista, tinha telefonado na véspera, deixado uma mensagem que em algum momento ele retornaria. Os dois iam se encontrar para umas cervejas, talvez, e isso não mudaria nada. Podiam até levar um som (Paco estava saindo com uma pianista que dizia ser genial, David precisava conhecê-la) e isso não mudaria nada.

A engrenagem do mundo, rodando como sempre, parafusos, porcas, molas. A ex-namorada de David reatando com o ex-noivo. Eventos se sucedendo a eventos, coisas sendo e deixando de ser, coisas começando a ser e continuando a ser, tudo funcionando mesmo quando parecia que não.

As pessoas fervilhando na crosta do terceiro planeta do sistema solar eram mais um evento se sucedendo a outros. Fervilhando, fervilhando até acabar de fervilhar, e talvez nem desse tempo de saber se em algum bairro distante do universo haveria vida inteligente antes do fim (Marte: já teria dado certo a primeira colônia por lá?). Antes do fim das granadas, das bibliotecas públicas, cerejeiras, mesquitas, de museus, toureiros, senadores, sapatos. De jardins ingleses e japoneses, da Rússia e do Gabão.

Ele pensou em sua mãe mexicana, Guadalupe, que apesar do sotaque — o adorável sotaque, trilha sonora dos anos felizes da primeira infância de David — falava inglês tão melhor do que o velho Luiz, o mineiro de Capitão Andrade.

Em dado momento da vida, Guadalupe desistiu de Luiz e de David, e saiu em busca de alguma coisa que nunca ficou cem por cento clara.

David se lembrava dos cabelos compridos de Guadalupe. Quando ele era pequeno e ela o segurava no colo, os seus cabelos compridos formavam uma cortina de proteção. Só que um dia a cortina se abriu e ela foi embora pela abertura, como uma atriz temperamental cansada de encenar a mesma peça dia após dia, ano após ano.

As coisas estavam difíceis demais para ela, o pai de David lhe explicou, um pouco mais tarde, com aqueles dois olhos gigantes e azuis de seus antepassados italianos, tentando dizer mais do que o que cabia na contenção das palavras.

E para você não? E para mim? (Ele já era adolescente na ocasião dessa conversa, e o que era mágoa quando ela havia ido embora tinha se transformado numa raiva densa, vermelha, feito uma pequena joia inquebrável, um diamante nascido sob as doses certas de tempo e pressão.)

Ela estava doente.

Existem médicos. Remédios.

Não era esse tipo de doença, David. Era mais uma doença — da alma.

Se você está querendo dizer que ela estava com alguma doença psiquiátrica, existem médicos e remédios para isso também.

O pai dele suspirou. Você precisa perdoar.

Fazia três anos que Guadalupe tinha ido embora, na ocasião dessa conversa. Reaparecia na vida deles de tempos em tempos, para visitas cada vez mais desconfortáveis e breves.

Você precisa entender que agora ela está morando longe. As coisas mudam.

Eu não deixei de ser filho dela, deixei? Por que ela nunca me levou para conhecer o lugar onde está morando? E daí se é longe?

Luiz suspirou e não respondeu.

* * *

Os imigrantes de Minas Gerais, da região de Governador Valadares (onde ficava a cidade de Luiz), tinham começado a chegar aos Estados Unidos nos anos sessenta. Instalavam-se na Nova Inglaterra. Viravam funcionários de salões de beleza, lanchonetes, lavanderias. Alguns se instalavam em Miami também. Em Nova York. Mandavam dinheiro de volta para casa.

Os americanos tinham aparecido em Governador Valadares durante a Segunda Guerra, para coordenar os trabalhos de extração da mica. As gorjetas eram em dólar e daí em diante todo mundo sonhava com a terra dos gringos. Era como se tivessem mordido uma isca — uma isca estrangeira com alto valor de mercado.

O plano era ir para os Estados Unidos, juntar um dinheiro, voltar para casa e abrir um negócio. A terra do tio Sam era uma terra de possibilidades. Em dólares.

Seus filhos aprendiam o hino nacional na escola. *Then conquer we must, when our cause it is just.* Traduziam em casa para os pais: *Então devemos conquistar, quando nossa causa for justa.*

Os mineiros continuaram migrando para o norte nos anos setenta e em peso nos oitenta, quando a viagem era muitas vezes bancada pelos parentes que já viviam nos Estados Unidos.

Às vezes chegavam com visto de turismo. Às vezes apelavam para o passaporte falso e, como no caso de Luiz, para os mexicanos.

Décadas passadas, estavam por ali na construção civil, tomando conta de crianças, fazendo faxina, entregas em domicílio. Uma vez um conhecido de Luiz disse a David que já tinha ido cinco vezes ao Brasil, sempre pelo México. Já sabia o caminho e não precisava de coiote.

Luiz nunca voltou ao Brasil. Tinha medo de refazer a viagem. Tinha medo de brincar com a sorte, era o que dizia.

E aquela ideia inicial de voltar e abrir um negócio ficou sendo só isso, uma ideia inicial. *Things change,* eles diziam, no seu novo país, embora ele não conseguisse fazer aquele som do *th* e dissesse *tings change,* mas ninguém deixava de entender por causa disso (no caso do número três era mais delicado, ele dizia *tree,* árvore, em vez de *three,* então às vezes relatava, por exemplo, ter visto *tree people* em vez de *three people.* David, pequeno, rolava de rir, com afetuoso deboche e um toque de superioridade arrogante. *Meu pai viu o povo das árvores!* Quando ele ficou adolescente, a parte afetuosa do deboche sumiu, e os comentários migraram todos para a zona da superioridade arrogante, mas Luiz já tinha aprendido a não se importar. Havia muitas coisas mais sérias na vida do que *th*s).

Um dos primos mexicanos-americanos de David morava numa cidade de nome europeu em Indiana. Colecionava rifles e cabeças empalhadas. Votava em candidatos que apreciavam rifles e cabeças empalhadas. O outro primo estava sempre de camisa florida, bermuda e chinelo, e trabalhava amparando turistas ansiosos num balneário na Carolina do Sul. O terceiro primo era dono de uma padaria em Nova Jérsei, onde trabalhava com a mulher e as duas filhas fabricando e vendendo pães, biscoitos e bolos com crostas coloridas de açúcar, conforme exibidos em seu website.

David na verdade gostava do primo padeiro, e tentaria se lembrar de lhe mandar um cartão-postal à guisa de despedida. Nada muito sério. Apenas lembranças à família e espero que esteja correndo tudo bem com os negócios e por aqui sempre na mesma, sempre na mesma. Abraços.

Pensou na conversa tida quase vinte anos antes com seu pai, quando tanto Luiz quanto Guadalupe ainda viviam.

Existem médicos. Remédios. Era o que ele havia dito, com essas palavras ou com outras equivalentes.

Ela estava doente. Você precisa perdoar.

Os doentes avessos a tratamento irritavam David, desde então. Essa gente pouco prática se arrastando pelos cantos da vida, de olhos baixos.

E veja só você agora, David! Veja você agora. Sim, ele diria, se um dia se sentassem todos diante de uma mesa e colocassem o tempo e a história espalhados ali como peças de um mosaico que pudessem recombinar. Sim, mas as minhas alternativas não eram muitas. E quem foi que disse que as minhas eram? Guadalupe retrucaria. Não sei por que você me odiava tanto. (Eu não te odiava, tinha raiva de você, ele diria.) Bem, por que você tinha tanta raiva de mim. Já te ocorreu que parte da minha doença era fugir dos tratamentos, e que foi por isso que acabei — como acabei? Como uma estatística, foi o que você disse para a sua namorada daquela época, depois que morri, não pense que não fiquei sabendo. (Era diferente! ele diria. Eram situações diferentes. Eu não tinha filhos, para começo de conversa.)

Mas o que David sabia da sua mãe? ele pensou. O que ele sabia acerca do que era, para ela, ser mãe? E do que ela sentia, e do que ela vivia?

Só o que sabia era que um dia ele e Luiz a haviam levado ao aeroporto no velho carro, e na volta para casa as mãos de Luiz tremiam ao volante e David observava as árvores oscilando ao vento, tolas, insensíveis. Quando chegaram em casa, Luiz foi para a cozinha, pegou cenouras e batatas e começou a descascar.

Eram onze da manhã e David se sentia bastante nauseado. Abriu uma Coca-Cola e pegou o trompete. O tema de "Circle" lhe veio à mente. Miles contra a náusea. Tocou um pouco e foi molhar as plantas enquanto esperava até de tarde, porque já havia deduzido que era o turno em que Alex trabalhava no mercado.

Foi até o armário e começou a separar as roupas. Deveriam caber todas numa mochila. O resto foi colocando em sacos plásticos a que daria outro fim. Guardou um casaco e umas poucas coisas de inverno, pelo sim, pelo não.

Alguém também podia se interessar pela sua coleção de CDs, que não era nada desprezível. Ele sempre colocaria *Kind of Blue* em primeiro lugar, mas havia *In a Silent Way, Miles Smiles, Bitches Brew, A Love Supreme, Blue Train, Ellington at Newport, Mingus Ah Um, Jaco Pastorius, Ella and Louis, Time Out,* os álbuns de Jack DeJohnette que ele vinha ouvindo bastante nos últimos tempos, e Tom Jobim, Christian Scott, Brad Mehldau, Soulive, Tord Gustavsen e muitas coisas mais, coisas que ele levaria num mp3 player, porque esperava que a sua morte tivesse pelo menos uma boa trilha sonora.

Aproximar-se daquele limite, reduzir tudo o que tinha ao que coubesse numa mochila, era como ir soltando o mundo, largando a corda. Era como testar a vida no osso.

Não que até ali tudo tivesse sido opulência. Mas ele via a quantidade incalculável de coisas desnecessárias que até mesmo um músico fodido como ele arrastava por aí. Como se essas coisas servissem para demarcar o território: isto é meu, são os meus pertences, eles estampam o meu lugar no mundo.

David contemplou os seus objetos, já um pouco menos seus, todos eles mais ou menos fodidos, como ele, e os objetos lhe pareceram de uma graça e beleza que nunca tinha notado antes. As panelas de alumínio amassadas. Os pratos lascados, as canecas lascadas. Uma estatueta vagabunda que Lisa tinha lhe dado.

Era provável que todas aquelas coisas, com ou sem lascas, fossem viver mais do que ele. Algumas poderiam durar décadas. Nenhuma delas era de boa qualidade, mas, se tratadas com respeito e algum cuidado, nada as impedia de ter vida longa. O próprio fato de serem grosseiras, vagabundas, poderia ser favorável. Elas sobreviveriam feito cachorros vira-latas, sem as doenças típicas dos cachorros de raça.

Olhou para o relógio. Julgou que já podia sair. Pegou uma camisa limpa no cabide.

Ele entrou no mercado asiático, acenou para Alex e pegou um cesto de plástico que encheu com itens pequenos. O critério era um só: que levasse bastante tempo para passar no caixa. Por cima, colocou um pé de alface, feito um buquê.

Ela disse oi e passou o código de barras de uma lata de milho no leitor.

Escuta, não sei se te interessa, ele disse. Mas vou entregar o meu apartamento em breve, e não vou ficar com nada do que tem lá dentro. Vou colocar um anúncio oferecendo no meu prédio, mas estava aqui fazendo compras e me ocorreu que poderia falar com você. Quem sabe alguma coisa tem utilidade.

Achei que você ia ficar uns tempos fora da cidade e depois voltava, ela disse, passando no leitor o código de barras de um pacote de macarrão sabor espinafre, made in Taiwan.

Ah, não. Eu não vou voltar.

Alex fez um breve silêncio, depois confirmou, você disse que não vai ficar com nada do que tem no seu apartamento?

Isso.

Eu na verdade estava era precisando de um computador.

David parou, pensou, o laptop era um bem móvel que não deixaria de ter utilidade, mas que diabos.

Não vou levar meu laptop. Ele não está novo em folha, mas funciona bem. Pode ficar com ele, se quiser.

Ela parou de somar os itens da cesta e olhou-o nos olhos, com curiosidade.

Vamos fazer o seguinte, David falou. Eu vou em casa e já volto com o laptop. Se você gostar, é seu.

Estou precisando de panelas, ela acrescentou, enquanto ele pegava suas duas sacolas de compras.

Meia hora mais tarde, David estava de volta com o laptop debaixo do braço e três panelas encaixadas uma dentro da outra, empunhadas pelos cabos.

Trung, que arrumava bananas num cesto, olhou para ele como quem tentasse ler as entrelinhas das suas rugas de expressão. Quem sabe veria o que havia para se ver. Talvez houvesse um desapego artificial e ansioso em David. Tome, leve o laptop, leve as panelas — quem sabe todo o comportamento dele fosse comparável ao de um mau palhaço de circo. Até para ser ridículo é necessário certo grau de seriedade.

Antes de sair de casa David apagou os seus arquivos, por nenhum motivo além do fato de que não teriam utilidade para Alex. Não havia segredos de Estado ali.

Pelo sim, pelo não, resolveu deixar sua música. Renomeou a pasta: OUÇA ISTO ALEX.

Talvez no futuro próximo ele pudesse lhe perguntar se tinha chegado a ouvir, e nesse caso se tinha gostado, e nesse caso do que tinha gostado mais. Pensava nela naquele momento como uma pessoa do tipo Nina Simone. Tinha quase certeza de que Alex gostaria de ouvi-la cantando "Feeling Good".

Lembrou-se mais uma vez daquele doente, o do diagnóstico errado.

Se novos exames revelassem que na verdade ele não estava doente, David pensou, talvez fosse uma troca válida. Tudo o que ele tinha em troca de tudo de que precisava. E um diagnóstico errado no meio do caminho, só para que aprendesse a diferença entre as duas coisas.

Como que para lhe dizer que aquela não era uma possibilidade, uma pontada funda na cabeça quase o fez perder o equilíbrio.

Alex não viu. Trung sim. Ele levantou o rosto das bananas e seu olhar topou por um instante com o olhar de David.

Depois Trung retomou seu trabalho, como alguém talvez um tanto constrangido por ter visto o que acabara de ver. O mau palhaço contando uma piada sem graça, os rostos impassíveis da plateia. O mau palhaço prestes a perder o emprego.

Alex pegou as panelas, revirou uma e depois outra.

David apanhou uma caneta largada por ali e uma nota fiscal que alguém tinha deixado para trás. Escreveu seu telefone no verso. Já tinha notado que estava perdendo aos poucos essa habilidade tão simples, a escrita — e isso era esperado —, mas por enquanto sua caligrafia ainda era legível.

Se você e o seu patrão quiserem passar para dar uma olhada no resto, ele disse, entregando o pedaço de papel a Alex.

Ela ainda exclamou obrigada pelo computador e pelas panelas! antes que ele saísse para a rua e para a chuva que voltava a cair.

Ele caminhou por algum tempo ainda, na chuva. Era bom sentir a água caindo sobre sua cabeça e seus ombros, a chuva se derramando daquele céu cinza cujo fim não se via. Como quando ele era criança e uma de suas grandes diversões era tomar chuva no caminho da escola para casa. Era bom sentir a roupa e o cabelo colando no corpo e riachos escorrendo pelos seus braços e pela sua cara. Era bom decretar o fim de todas as precauções, e esquecer a pressa e os guarda-chuvas.

Pensou que poderia derreter. Deixar que a chuva fosse arrastando pequenos pedaços do seu corpo, desmanchando os montinhos de células, desmanchando David.

Ao mesmo tempo era bom estar ali, apesar de tudo, estar ali e ter feito algo tão adolescentemente simples quanto deixar seu telefone com uma garota, rabiscado num pedaço de papel. Aos quinze anos, haveria um carnaval dentro dele. A ousadia! A expectativa! E era quase isso, agora, de novo. Um pouco fora de hora, ele pensou.

Poderia derreter. Mas em segredo pediu, à mesma chuva, às mesmas células: agora não.

Mais tarde. Agora não.

Por que você está trazendo um computador debaixo do braço? Bruno perguntou. Ele brincava com um punhado de outras crianças que ficavam na escola até mais tarde, esperando ser resgatadas por pais ou mães cansados após um longo expediente.

Ganhei de presente hoje mais cedo, Alex respondeu. Um freguês do mercado, que disse que não vai mais precisar.

Ah.

E ele segurou a mão disponível da mãe.

Minha professora disse que mandaram a Laika para o espaço primeiro porque precisavam saber se podiam mandar gente. Vi fotos dela na internet. Ela era bonita e tinha o rosto marrom com uma linha branca aqui no meio — e ele desenhou com o dedo um traço desde a testa até a ponta do nariz.

Os dois continuaram caminhando.

Eu acho que foi errado, ele disse. O que eles fizeram.

Bruno era alto para a idade. Às vezes Alex pensava numa família absorvendo aos poucos o biotipo de um outro povo. Tornando-se mais alta, alterando seus traços faciais. Estavam usando uma vassoura genética para apagar qualquer identidade com isto ou com aquilo. A ideia, talvez, era que ao fim não se parecessem com nada em particular.

Ao chegarem em casa, Bruno saltou para a frente da televisão enquanto Alex foi tirar da geladeira as coisas que ia esquentar para o jantar. Depois que comeram, ela preparou um café forte e foi estudar. O café forte era o seu melhor amigo. Bruno dormiu depois de um filme, e o café forte ainda conseguiu animá-la por mais duas horas inteirinhas.

Quem afinal era aquele sujeito, aquele tal David, e o que ele queria? Alex se deitou na cama e com os últimos suspiros da cafeína ainda conseguiu pensar nele.

David tinha deixado no laptop uma pasta com um monte de músicas, e dado à pasta o nome de OUÇA ISTO ALEX. Será que era para Alex ficar de sobreaviso? Será que ele era maluco?

Quando terminou de estudar, ela escolheu uma faixa ao acaso. Chamava-se "Metamorphos". Dave Holland Quintet, ela leu, fosse quem fosse aquele Dave Holland, importante o suficiente para ser dono de um quinteto.

Começava com o som do que identificou como um contrabaixo. Depois entravam outros instrumentos. A bateria primeiro. Em seguida era o que, um xilofone? Era esse o nome daquele instrumento? Vibrafone? Ela não sabia — aquela coisa com várias plaquinhas que a pessoa tocava usando duas varetas de madeira com uma bolota na ponta. Depois uns instrumentos de sopro.

Quando por fim esticou o corpo em cima da cama, todas as suas fibras agradeceram. Seu corpo pesava.

Um dia ela teria tempo para descansar mais — quem sabe se recebesse a bolsa, sim, quem sabe com a bolsa: ela e Bruno poderiam ir para uma cidade na praia, em algum feriado, e ela veria o sol atravessando o céu e mesmo que soubesse que o sol não atravessava o céu coisa nenhuma aquilo seria sereno e meditativo, ela notaria a lentidão das horas e tiraria cochilos depois do almoço com Bruno, seus corpos frescos da água do mar.

E talvez Max pudesse ir encontrá-los lá, um dia, e nadariam com Bruno. E talvez a terra parasse, e o tempo. Mas não naquele exato instante: uma ou duas horas depois, quando voltassem da praia, e Bruno exausto apagasse na cama, sua pele salgada e muito lisa, seus sonhos íntimos e fascinantes.

Max estaria ali, com Alex, para alguma coisa que ela não deixaria nem mesmo começar a acontecer, em sua fantasia, a fim de que a expectativa durasse para sempre. A antessala da felicidade.

Mas o café forte por fim a abandonou, e ela adormeceu. Longe de praias, longe de Max e de antessalas.

Em sua cama, ao lado da de Alex, Bruno não tinha a pele coberta de sal marinho: era apenas a sua pele habitual de menino, após um dia comum, preocupado com cachorrinhas russas enviadas compulsoriamente ao espaço.

Ele e a mãe compartilhavam o quarto: a metade de Bruno era a metade oeste, que ele ocupava com sua cama e uma estante com seus brinquedos. A metade de Alex, a leste, tinha sua cama e uma mesa de cabeceira que era uma espécie de nação dos objetos esquecidos, como tampas de garrafa e bulas de remédio, em meio a livros de ficção que ela pegava na biblioteca e de que lia um punhado de páginas à noite, antes de ser nocauteada pelo sono.

A parede oeste era dele, com uma grande fotografia autografada de um time obscuro de basquete (claro: o time do primo Max). A parede oposta era dela, com dois mapas celestes. Dividiam o guarda-roupa com a mesma lógica geográfica.

Antes de embarcar por completo no apagão das oito horas seguintes, Alex pensou no tal David.

Talvez ela fosse à casa dele ver as outras coisas. Que ele estava doando. Poderia chamar Max para ir junto.

Claro que não chamaria Max para ir junto.

O técnico de basquete não era um sargento numa guerra. Ele discordaria de Alex, provavelmente. Diria que de fato não era um sargento — estava mais para soldado raso — mas que era uma guerra, disso ninguém tinha dúvidas.

Ela ainda guardava um punhado de e-mails seus, palavras de uma outra época, da época dos encontros à tarde nos quartos de hotel onde entrava como se fossem a sua própria casa — alisava as colchas como se as tivesse escolhido ela própria, nas melhores lojas do ramo. Eram encontros furiosamente amorosos, meticulosamente clandestinos, e ainda por cima de uma domesticidade cem por cento ridícula, quando ela pensava bem no assunto.

Quando é que revelariam a Bruno que aquela história de primo Max era conversa mole? Talvez Alex pudesse combinar um encontro com Max em algum momento, só os dois, para discutir isso. Ou talvez ela devesse era discutir consigo mesma por que, cinco anos passados, ele ainda ficava estacionado nos seus pensamentos como um soldado numa base militar.

Arranje outra pessoa, disse Rita.

E ela arranjou outra pessoa, em mais de uma ocasião, mas Max não foi transferido da base. A outra pessoa acabou desistindo, como era de se esperar. O soldado raso ganhava dos recrutas na queda de braço.

Não havia muito o que fazer, talvez, além de esperar que mais tempo se passasse. Quem sabe cinco anos não tivessem sido suficientes. Ir fazendo as coisas conforme elas deviam ser feitas: frequentar as aulas sempre medindo forças consigo mesma, cuidar de Bruno com aquela fúria honesta, trabalhar com um sorriso no rosto que não era para os fregueses mas sim para Trung e por Trung. Aceitar o dinheiro que sua mãe lhe mandava todo mês, sabendo que para ela nada importava mais do que isso, lhe mandar dinheiro todo mês.

Viria o dia, talvez, em que ela poderia olhar para Bruno e não ver mais Max, cortar as associações em nome da sobrevivência, o pai do seu filho seria apenas o pai do seu filho, sem sombras, sem nenhuma dívida.

Se estivesse vivo, o sargento Derrick, o avô americano de Alex, provavelmente teria família. Max tinha a dele. Max, que estava vivo, que morava na mesma cidade que ela e batia à porta do seu apartamento mensalmente para levar Bruno para programas sempre especiais.

Nem Alex nem a bela Linh que trabalhava num bar em Da Nang, em um passado brutal, estavam em condições de exigir coisas. Leve-me já para o seu país, a mim e à nossa filha! Arrume um jeito de abandonar essa guerra e cuidar de nós duas! Largue a verdadeira sra. técnico de basquete e leve a mim e ao nosso filho para viver com você! porque sim, é uma guerra, você sabe disso e eu também, mas se estivéssemos juntos já seria suficiente.

Você seria infeliz, Rita disse a ela.

Talvez. Linh seria infeliz com Derrick? Talvez.

Mas Linh havia sido extremamente infeliz sem Derrick, e quanto a Alex — bem, pelo menos ela e Bruno não passavam fome, e as crianças não diziam a Bruno, na escola, que ele tinha doze cus.

Ensopado da cabeça aos pés, David abriu a porta do apartamento com a chave que estava agarrando um pouco. Foi tomar o analgésico. O superanalgésico que não se destinava a dores comuns, somente a dores especiais, grandiosas como a sua.

As coisas estavam se embaralhando na cabeça. Era um pouco irritante, aquilo. Como estar meio bêbado e querer ficar sóbrio e não conseguir.

Sentou-se diante da janela. Fechou os olhos e se imaginou em algum lugar numa praia, numa praia oceânica.

Tentou sentir o cheiro do mar. Tinha visto o mar vezes de menos ao longo da vida.

Imaginou águas mornas onde peixes tropicais nadariam sem pressa. Abriu os olhos e viu a sua rua e os prédios da sua rua, algumas janelas acesas, outras não.

Uma vez tinham ido até a costa, ele, seu pai e sua mãe. Antes que a cortina dos cabelos dela se abrisse para deixá-la passar. Dirigiram durante quinze horas e atravessaram alguns estados no carro que tinha acabado de vir do mecânico e parecia estalar como novo, embora não fosse. Cheirava bem, o carro.

O pai sorria muito. A mãe sorria menos, mas David pouco entendia da densidade dos sorrisos e estava feliz como pinto no lixo. Gostava dessa expressão, que seu pai de vez em quando usava: feliz como pinto no lixo. Traduzia ao inglês: *happy as a chick in the trash.* Tentou ensinar a Luiz. *Happy as a shick in da trash,* Luiz disse. Prefiro o pinto no lixo.

David iniciou, nessa viagem, uma coleção de conchas que não iria para a frente. Sempre que olhava para as conchas nos anos seguintes, aquela coleção guardada num vidro transparente lhe parecia uma tentativa de começar a ser algo inteiramente contrário à sua natureza ou às possibilidades da sua vida. Era um blefe. Mas as conchas mesmo assim eram bonitas. Aquelas genuínas conchas do mar. Mesmo que no fundo contassem mentiras.

Foi procurá-las no alto do armário, em meio a outros refugos do seu passado.

Será que todos os doentes ficavam nostálgicos? Querendo ver fotos e objetos antigos, segurar a vida inteira nas duas mãos e avaliar o que tinha sido, o que não tinha, e se afinal tinha valido a pena? A velha história do balanço, do acerto de contas consigo mesmo? A velha culpa pelas coisas importantes que tinham ficado à sombra, enquanto idiotices sapateavam no palco, sob os refletores?

Encontrou o vidro transparente com as conchas e resolveu promovê-las de volta a algum lugar visível. Colocou em cima da mesa.

Você me ajuda a catar conchas? ele pediu à sua mãe, durante aquela viagem até a praia.

Por algum tempo ela o ajudou, e encontrou conchas muito maiores e mais bonitas do que as dele. O corpo de Guadalupe era esguio e moreno dentro de um maiô branco. Até que num dado momento ela disse a David agora você vai brincar sozinho, está bem? E ele foi brincar sozinho enquanto ela se sentava à sombra da barraca e pegava uma revista para ler. O céu era de um azul sem disfarces.

David acabou encontrando uma concha maior e mais bonita do que as dela. Que agora, décadas depois, segurava entre os dedos, a concha alfa, sua concha da vitória. A coleção seria um fracasso, mas mesmo uma coleção fracassada tinha direito a um item de sucesso.

Guadalupe havia prendido os cabelos e colocado um chapéu de abas largas, que a deixava com jeito de atriz de cinema. Ele já sabia que não tinham dinheiro, mas sua mãe era muito mais linda do que todas as mulheres ricas que tinha visto.

Os homens passavam e olhavam para Guadalupe na praia, e Luiz cruzava os braços em cima do peito. Ele podia ser bom de briga. Bastava alguém pagar para ver: lá de onde eu venho, a gente resolve as coisas na ponta da faca.

E no entanto já havia uma sombra em Guadalupe. Em seu rosto. Era como se ela já não estivesse inteiramente ali. Parte sua tinha passado a existir em algum lugar que David e o pai dele não frequentavam, e aquela alegria fácil e esfuziante de outros tempos tinha minguado, murchado, tinha se cansado.

David culpava essa sombra pela partida dela, anos depois. A sombra insistiu e insistiu até que conseguiu convencê-la a ir embora.

Você já está crescido, precisa mais do seu pai do que de mim, ela disse, segurando o rosto dele com duas mãos que queimavam. Havia um nó de incredulidade e medo no estômago de David. E depois ele e Luiz entraram no carro para levá-la ao aeroporto.

Luiz continuou dormindo do lado direito da cama. De manhã, o filho via o lado esquerdo intocado, esperando por ela, sempre esperando por ela. O lado esquerdo da cama continuou esperando por Guadalupe mesmo depois que Luiz já tinha desistido havia muito.

O superanalgésico estava começando a fazer efeito. Um banho frio talvez ajudasse. David foi até o banheiro, tirou a roupa e constatou que estava mais magro.

Tudo bem, nada de anormal nisso. Cintos existiam também com essa função: a de apertar as roupas das pessoas que emagrecem.

Entrou debaixo da água, boa depois que se acostumou com ela, passado o choque inicial. A verdade é que a gente tem condições de se acostumar com quase tudo, ele pensou. Passado o choque inicial.

Quando ela e David se conheceram, Lisa tinha um cachorro já muito velho chamado Oscar, que fazia parte de sua família desde quando ela ainda era criança. Oscar foi junto quando ela se mudou para o apartamento de David.

Ele e o cachorro se davam bem. David gostava de passear com Oscar. Ele era como um amigo idoso, mancando ofegante seus catorze anos pelas calçadas. Era um labrador com óbvias memórias da felicidade pura de estar vivo. Mas deixava também óbvio que as coisas já não eram tão simples. Até que entrou em sua crise final, com uma paralisia da laringe. A possibilidade de cirurgia foi desencorajada, devido à sua idade. Oscar já mal se punha de pé.

Lisa então chamou um veterinário que fazia a eutanásia em casa. Oscar passou o dia em cima da cama de David e Lisa. Já tinha desistido de tentar se levantar, mas erguia a cabeça quando o assunto era comida. O veterinário mandou dar uns calmantes de tempos em tempos, à tarde, então Oscar mais parecia um velho hippie chapado entre os travesseiros, em seu último dia.

A primeira injeção foi de Valium e demorou dez minutos para fazer efeito. Durante esse tempo, Lisa e David deram a ele uma barra de chocolate, e talvez o cachorro tivesse reconhecido, ah, aquele negócio doce e cremoso que uma vez vocês derrubaram no chão e eu consegui provar, só daquela vez — sempre sentia o cheiro quando comiam, mas nunca mais pude sentir o gosto. O gosto maravilhoso desse negócio, hm, cócegas na minha garganta.

Ele comeu o chocolate, bebeu água e começou a roncar sonoramente. A segunda injeção foi o anestésico e o efeito, mais rápido. A terceira injeção tinha efeito imediato, e foi a que fez a barriga de Oscar parar de se mexer debaixo da mão de David, que o acariciava. Ele acariciava Oscar deixando de ser Oscar e ingressando no território desconhecido da morte: a vida até certo ponto explicamos, David pensava, de um modo que pelo menos ele considerava satisfatório. A morte, não.

A morte parecia muito mais estranha: como é que aquilo que era se torna o que não é mais? Como é que uma pessoa, um bicho ou mesmo uma planta com que você convivia, que durante um tempo se esforçou para construir uma existência em torno de preferências, incapacidades, intolerâncias, ciclos, como é que tudo isso se retirava do universo em um instante?

Somar era fácil, ele pensou. Conte de zero a dez. A matéria-prima dos números estava por aí, à sua disposição. Mas, quando você subtraía, o que acontecia com os números que não existiam mais? Viravam potencialidade? Reencarnavam como outras coisas? O oito viria a ser o amor não correspondido de um adolescente pela garota mais velha. O seis, o pelo da narina de uma cantora de ópera. O três, o freio estridente de um ônibus num cruzamento movimentado.

David acordou pensando em Oscar, que andava meio sumido da sua memória. Lembrou-se dele deitado na cama depois da terceira injeção, exatamente como se fosse um cachorro adormecido, exceto pela falta de movimento do seu corpo.

Se ele, David, também pudesse morrer num céu de Valium e chocolate. Se alguém injetasse um anestésico e ele fosse embora desse jeito, sem dor e sem qualquer preocupação, averiguar se havia mesmo qualquer coisa depois da vida, e se houvesse, o que era. E, se não houvesse, tudo bem também.

Ele acordou pensando em Oscar, e sentiu medo.

Tudo até então vinha acontecendo quase que em nível teórico. Como num curso de paraquedismo: ouvir a descrição do salto era uma coisa, se meter dentro de um avião e pular, ele acreditava, outra bem diferente.

Talvez Oscar soubesse que certas coisas não andavam nada bem no seu corpo. Funções antes triviais agora davam trabalho. Mas, quando o veterinário chegou com sua maleta de injeções, tudo o que dizia respeito ao cachorro estatelado sobre a cama era mais um biscoito. O veterinário — doutor Cordeiro, indiano de Goa: David tentou trocar umas palavras em português com ele — afagou-lhe as orelhas e Oscar, que gostava de todo mundo, gostou dele também.

Ao contrário do cachorro de Lisa, David estava bem informado. Tinha, inclusive, lido sobre as tais fases clássicas pelas quais o doente terminal passa. A última dessas fases era a aceitação, então por que não começar por ela, e evitar todo o transtorno das outras quatro? Nada de negação ou raiva, nada de tentar barganhar um pouco mais de tempo — principalmente nada de depressão.

David sabia que precisava sair. Do seu apartamento, do seu prédio, ir para a rua, para fora. Para longe do medo.

Caminhou até a livraria mais próxima, foi para a seção de música. Escutar qualquer coisa. Ouviu breves trechos dos lançamentos recentes. *Unlock Your Mind,* do Soul Rebels. *Sagapool,* do Sagapool. *Pandora's Piñata,* da Diablo Swing Orchestra (um pouco de metal até ajudou com a história do medo). Depois voltou à seção de livros.

Havia várias pessoas sentadas no chão, as costas apoiadas nas estantes, lendo. David sentou-se também e pegou um livro. Desistiu depois de algum tempo, porque não conseguia prestar atenção. As páginas dançavam e as letras saíam de foco.

Foi para a rua e telefonou para Lisa. Oi! Aqui é Lisa. Desculpe, agora não posso aten.

Tinha voltado a chover quando Alex e Bruno chegaram ao prédio de David, na semana seguinte, papelzinho amassado com o endereço na mão e guarda-chuvas em punho. Bruno usava suas galochas verdes. Alex, tênis já ensopados.

Ela havia proibido Bruno de pisar nas poças. Era uma proibição idiota, já que ele estava de galochas, e, com seu discernimento prematuro entre as coisas válidas e as coisas idiotas que as mães fazem, ele pisava nas poças e fingia que era sem querer.

Será que ele tem uma tevê? Bruno perguntou, no caminho.

Não sei. Imagino que sim.

E ele vai dar a tevê também?

Temos que perguntar.

David abriu a porta de seu apartamento. Convidou-os a entrar, eles entraram.

Este é o Bruno. Meu filho.

Bruno enfiou as mãos nos bolsos da calça e disse oi sem olhar para David.

Estive com o seu patrão de manhã, como é mesmo o nome dele?

Trung. Ele me contou. Você levou pratos e copos para ele.

Você sabia que ele foi monge budista?

Sim. Ele é amigo da família. Foi por isso que me deu o emprego.

Bruno tinha se aproximado da tevê.

Você está interessado numa tevê? David perguntou.

Bruno fez que sim. David se aproximou.

Quer ver se está funcionando direito?

Ele lhe explicou como usar o controle remoto. Passaram pelo canal favorito de Bruno, e peixes abissais se puseram a desfilar pela tela. Ele se sentou sobre os joelhos no chão, como se fosse um pequenino monge reverente, e sua religião, desde sempre, o absoluto fascínio pelos animais.

Olhando para ele ali Alex pensou verdade, Bruno: nada justificaria enviar uma cachorra vira-

-lata ao espaço e vê-la assar com o superaquecimento do foguete num teste aos voos tripulados por humanos. Será que macacos e tigres e polvos abissais também fariam o mesmo, se pudessem? Se fossem os donos da bola? Será que mandamos a Laika ao espaço só porque podemos? Mas então somos melhores do que eles — os outros animais — em quê? (Alguns anos antes ela havia lido sobre Descartes, o anticristo dos cães, que os abria, vivos, a fim de estudar a circulação do sangue. Justificava sua atitude dizendo que os cães eram como relógios. Autômatos. Não sentiam dor. Ganidos e coisas do tipo eram apenas algo a que estavam programados, como os relógios marcando o tempo. Aliás, nem prazer sentiam, porque não tinham alma. Trezentos e tantos anos depois de Descartes, a humanidade havia sofisticado a coisa toda, aprendendo por exemplo a fazer testes sobre os efeitos de barbitúricos em gatos, implantando tubos em seus estômagos, como naquela história que ela havia lido sobre pesquisas na Universidade de Cornell. Para depois suspender as drogas e estudar os efeitos da privação. E mais uma gama de práticas sobre as quais Bruno nada sabia enquanto lamentava o destino da vira-lata russa no espaço e observava peixes estranhos e brilhantes no fundo silencioso do oceano, pela tela da tevê.)

David levou Alex num tour pelo apartamento de quarto e sala, abrindo gavetas, armários. Dava explicações, feito um guia turístico. Ela foi fazendo uma pilha de objetos ao lado da mesa, incluindo canecas, um vaso de gerânios, um liquidificador, um despertador, um ferro de passar roupa, uma barraca de camping, dois sacos de dormir e alguns livros. Teria de arranjar um carro emprestado para pegar aquelas coisas, mais a tevê e uma estante.

David foi até a cozinha. Ofereceu uma cerveja, ela aceitou. Ele trouxe junto uma lata de refrigerante para Bruno.

Desculpe, não tenho muita coisa para oferecer além disso.

Não se preocupe.

David era magro e tinha traços quase bonitos, ela pensou. Sobrancelhas grossas. Cabelos um pouco acima dos ombros.

Ele perguntou, porque era óbvio que precisava perguntar, pelo pai do menino.

O pai dele morreu.

David disse que sentia muito, e de fato sentia muito, e também se sentia desajeitado como a maioria das pessoas nessas situações.

Esperou que Alex dissesse mais alguma coisa que ela não disse.

Alex torceu para que ele não perguntasse mais nada e ele não perguntou.

David bebeu um gole da cerveja. Havia algo de incômodo na sua expressão, algo que Alex ainda não sabia localizar ou definir. Ele parecia um convidado numa festa onde não conhecia ninguém.

Queria te fazer uma pergunta, ele disse. Uma curiosidade.

Sim?

Vai parecer estranho.

Diga.

Se você pudesse fazer uma viagem a qualquer lugar do mundo. Para onde você iria?

Para onde eu iria? (ela riu).

É (ele não riu).

Alex estendeu um mapa mentalmente. Passou em revista os continentes todos, inclusive aqueles lugares do mundo nos quais em geral não pensava, sobre os quais não era habitual ler no jornal. Ela olhava para a superfície da mesa, manchada com círculos antigos de copos, canecas, garrafas. Por um breve instante pensou em David sentado ali diante de amigos, de amigas, de amantes.

Iria para Hanói, ela falou. E acrescentou, é a cidade da minha avó.

David tomou mais um longo gole da cerveja.

Agora me diz por que perguntou.

Me fala da sua avó.

Ela trabalhava num bar durante a guerra, no Vietnã. Conheceu um soldado americano perto de uma base. Os dois passaram um tempo juntos e o resultado foi a minha mãe.

E o soldado?

Foi transferido para uma outra base e parou de dar notícias.

Está vivo?

Não sabemos. Minha avó está. Ela e minha mãe moram juntas. Numa cidadezinha de que você provavelmente nunca ouviu falar, a umas quatro horas de ônibus daqui.

Ela disse o nome da cidadezinha. Ele nunca tinha ouvido falar.

David se levantou, foi até a cozinha e trouxe mais duas garrafas de cerveja. Abriu a sua, deu um gole.

Eu preciso ir para algum lugar quando deixar o apartamento. Queria que alguém escolhesse para mim.

Alex franziu a testa. Não pôde deixar de rir.

Você não está falando sério.

Estou.

Se soubesse, teria escolhido um lugar mais perto. Ainda posso tentar. Madison, Wisconsin?

Não. Está bem assim.

A passagem deve ser cara, ela disse.

Ele suspirou. Fechou as mãos em torno da garrafa long neck. Tinha dedos magros e compridos.

Já ouviu falar em glioblastoma multiforme?

Não, Alex respondeu. O que é?

Uma doença. Nome pomposo, não é? Glioblastoma multiforme. Poderia ser o nome de uma figura geométrica. O nome científico de alguma coisa.

O nome de uma constelação, ela pensou em voz alta (e mesmo sem querer fantasiou mentalmente: descoberto pelo UKIRT Infrared Deep Sky Survey um quasar na constelação de Glioblastoma Multiforme, a doze bilhões de anos-luz do planeta Terra).

Até pouco tempo eu nunca tinha ouvido falar, ele disse.

Grave?

Bastante.

Em que parte do corpo?

E ele deu dois leves cutucões com o indicador na cabeça, do lado direito.

Eu estou me tratando. Radioterapia. Mas mesmo assim a expectativa de vida é de quatro a cinco meses.

Alex olhou para Bruno. Já não havia mais peixes abissais na tevê. Agora eram tartarugas marinhas, centenas de filhotes pela areia de alguma praia correndo apressados para o mar. Apressados, muito apressados, sem que nem mesmo soubessem por quê.

Mas como você vai para tão longe nessas condições?

Indo.

Ela baixou os olhos mais uma vez. Não tinha com aquele homem qualquer intimidade que lhe desse o direito de fazer comentários. Olhou para a coleção de objetos selecionados ao lado da mesa. A barraca de camping usada por ele. Os sacos de dormir.

Sentia uma pressão esquisita no estômago, que tentou aliviar com vários goles sucessivos da cerveja gelada, mas não adiantou.

Ainda havia a possibilidade — e agora ela torcia para que fosse isso mesmo — de que tudo aquilo fosse apenas a continuação de uma grande piada, de uma grande armação iniciada dias antes.

Tudo era tão recente, e ali estava ela agora, sentada à mesa da sala dele, quatro garrafas de cerveja espalhadas entre os dois, seu filho vendo tartarugas marinhas na tevê.

E David vinha lhe fazer aquela pergunta esquisita sobre viajar para qualquer lugar do mundo, e queria que ela acreditasse que acabava de decidir ir até o Vietnã, e que estava com algum tipo feroz de câncer — era câncer, não era? aquela doença com nome difícil? — e que sua expectativa de vida não passava de cinco meses.

Alex esperava o momento em que ele fosse irromper numa gargalhada, como uma criancinha. Como uma menina que era sua colega na primeira série e que um dia chegou na escola chorando, contando para todo mundo que o irmão tinha morrido. Alex e o resto da turma ficaram tristíssimos e em solidariedade dividiram as suas sobremesas com a menina, na hora do almoço. Biscoitos recheados para aplacar a dor. Era mentira. A menina era filha única, inclusive.

Não sei o que dizer.

Não tem problema. Não precisa dizer nada.

Mas por que uma viagem?

Eu preciso sair daqui. Ir para algum lugar. Talvez seja difícil entender, e para mim é difícil explicar. Até porque as coisas estão ficando confusas. Eu já não penso com a mesma clareza. Mas eu queria estar em outro lugar quando — você sabe.

Você deixou um monte de músicas no laptop.

Achei que você poderia gostar de ouvir. É uma coletânea e tanto, aquela.

Eu não entendo nada de música.

Bem. Pode ser que você goste.

Você é músico?

Mais ou menos. Já toquei profissionalmente em uns bares vagabundos por aí. Mas nunca vivi disso.

Que instrumento?

Trompete.

Pode tocar um pouco? Para mim?

Ele ficou olhando para Alex por alguns instantes, depois se levantou e foi pegar o estojo preto que estava ao lado do sofá.

No início, David não tinha pensado em deixar o apartamento, mas em algum momento começou a parecer que seria a ordem natural das coisas. Livrar-se de tudo que havia ali dentro, esvaziá-lo como se esvaziam os bolsos de uma calça, e depois se livrar dele também. Da vizinhança, das esquinas conhecidas.

No início, tinha chegado a pensar em pegar então um ônibus até Framingham, a cidade onde seu pai e sua mãe moravam antes do seu nascimento.

A cidade onde o brasileiro recém-chegado, no final dos anos setenta, esperava montar um negócio, ganhar mais do que os dois salários mínimos que eram seu pagamento em Capitão Andrade, mandar algum de volta para a família.

Luiz tinha tentado o visto turístico quatro vezes, sem sucesso, antes de apelar para os mexicanos — entrar pela fronteira com o México custava mais que o dobro do que pelas vias formais e era bastante arriscado, mas foi o jeito.

Três meses depois de chegar, ele conheceu Guadalupe. Minha noiva trabalha como *baby sister*, o capitão-andradense contou mais tarde num telefonema para a família em Minas Gerais. Sua família não sabia o que fazia uma *baby sister*, mas soava importante.

No início David tinha pensado em Framingham, mas Framingham era perto demais, literalmente familiar demais. A escolha roleta-russa de Alex estava perfeita: longe, outra língua, outra gente, outra comida, outro tudo.

Já tinha avisado que entregaria o apartamento no final do mês seguinte. Tinha colocado no quadro de avisos do prédio o cartaz anunciando o saque autorizado do seu apartamento, depois da visita de Alex, e os vizinhos já tinham começado a responder.

Recebia diariamente pessoas que partiam com novos objetos velhos para somar aos seus velhos objetos velhos. Em troca, deixavam votos de muitas felicidades e de muito sucesso na nova fase da sua vida.

Era sempre bom, eles diziam: uma nova fase, virar a página, começar de novo.

É, David dizia. Estou bastante animado.

Já que não tinha mais um computador, passou a ir à casa de Teresa de vez em quando ler seus e-mails — isso nos bons momentos, em que aquela neblina dentro da sua cabeça diminuía um pouco e era mais fácil ler e digitar num teclado de computador. Numa dessas manhãs, ela estava cozinhando, e o convidou para almoçar.

Os peixes estavam ali na sala, em seu mundo vagaroso, limitado por quatro paredes de vidro. Animais do silêncio. David tinha um cartão-postal com uma reprodução da famosa foto de Miles Davis pedindo silêncio, o indicador atravessado em cima da boca. O fotógrafo era Jeff Sedlik. As sobrancelhas de Miles estavam franzidas com rugas no meio, os olhos apertados. Parte do rosto perdido nas sombras. David gostava da ideia de um músico pedindo silêncio, gravando "Shhh" para um álbum intitulado *In a Silent Way.*

Enquanto comiam, Teresa disse me fala a verdade, David, por que é que você está se mudando?

Eu te disse a verdade, Teresa. Vou passar um tempo em outro lugar e ver o que acontece depois.

Por causa de uma garota.

Ele deu de ombros. Não era uma história tão ruim assim. Outros homens tinham morrido ou matado por causa de uma garota. Passar algum tempo em outra cidade parecia algo bem sensato e maduro, diante disso.

Douglas, o garoto que morava no primeiro andar, tinha ido perguntar se ele também ia dar o trompete. Não, David respondeu, e pensou que chegaria o momento, mas ainda não. Seria, afinal, como se despedir de um grande amigo.

Por quê? Você está interessado em aprender trompete?

Eu quero entrar para a banda da escola, Douglas respondeu.

À tarde, antes da sessão de radioterapia e do consequente nocaute, David foi até uma loja de instrumentos musicais. Um menino de onze anos querendo tocar trompete na banda da escola era algo que devia ser levado a sério. Comprou um modelo de estudante para Douglas e se sentou com ele durante uma hora no dia seguinte, para ajudá-lo a tirar som do instrumento.

Você primeiro faz assim com os lábios, como se fosse dizer M. Agora sopre. Deixe formar uma abertura bem pequena, mas os cantos da sua boca precisam ficar firmes.

David demonstrou.

Douglas riu, achou ridículo.

É sério. É assim que tem que ficar a sua boca. Você pode fortalecer a embocadura — é assim que chamamos, embocadura — colocando um lápis sem ponta e tentando segurar com os lábios. Não pode deixar encostar nos dentes.

Os dois ficaram ali durante alguns instantes, soprando.

Agora tente com o bocal do trompete, David falou.

Dói a bochecha, Douglas disse, depois de alguns minutos.

É normal. Um dia não vai mais doer. Pense que você está começando a se preparar para um esporte que nunca praticou antes. Se quer ser trompetista, vai ter que passar por isso.

David esperou que ele tirasse um som consistente do bocal.

Agora tente com o trompete inteiro, falou.

Encaixou o bocal e entregou ao menino.

Você segura o trompete com a mão esquerda. Coloca o dedo anular aqui. A mão direita fica aqui por cima das válvulas. O indicador, o dedo médio e o anular ficam um em cima de cada uma, assim. Tente.

Tudo isso por causa de uma garota, Teresa repetiu.

Bem, Teresa, nunca é só por causa disso, é?

* * *

Quando Alex lhe pediu que tocasse um pouco para ela, naquela noite de chuva em que esteve no seu apartamento com o filho, foi mais uma vez o tema de "Circle" que ocorreu a David. Que o socorreu.

Bruno espiou por cima das costas do sofá, distraído por um instante das tartarugas marinhas. Quem era aquele extraterrestre que de repente se incluía na sua vida, com presentes inesperados e um instrumento musical também extraterrestre? Mas a curiosidade não durou mais do que alguns segundos. Ele voltou às tartarugas.

Se David se afeiçoasse aos dois, ele pensou, não seria um crime, seria? A última mulher a se relacionar com o seu trompete o havia atirado pela janela. Alex não sorriu enquanto o ouvia tocar, nem meneou a cabeça. Talvez aquelas palavras exóticas e bizarras, glioblastoma multiforme, fossem difíceis de esquecer.

Alguns dias depois, ela telefonou. Um amigo pode passar no domingo para buscar as minhas coisas, disse.

O amigo era um colega de faculdade. Dirigia um Mercury Grand Marquis branco.

Ano 1996, ele falou. Não está inteiro? Ganhei do meu irmão num jogo de pôquer.

Ele e David abaixaram os bancos e David se desculpou por não ajudar a carregar as coisas, explicou que não andava muito bem de saúde.

As coisas de Alex, as ex-coisas de David que agora eram dela. Alex esperava seu amigo em casa, com Bruno. Que agora teria uma tevê-só-sua.

Tudo bem, o dono do Grand Marquis branco falou, não é tanta coisa assim. Eu dou conta.

E David observou enquanto o colega de faculdade de Alex, mais jovem do que ele, mais forte do que ele e muito mais saudável do que ele, trazia a estante desmontada, trazia a tevê e o resto.

Ele imaginou mãe e filho embalados dentro dos sacos de dormir que o amigo também levava. Onde acampariam? Talvez perto de alguma praia. Tinha procurado o mapa do Vietnã na véspera, era um país comprido, com uma longa linha de praias a leste.

Ele havia procurado no mapa a cidade para onde Alex tinha decidido, involuntariamente, que ele iria, depois que entregasse o apartamento. Mas não queria saber muito. Veria o que tivesse de ver quando chegasse lá. Antes disso, tudo o que havia disponível eram as palavras dos outros, os olhos dos outros, a vida dos outros, e não seria suficiente.

Não existia, ele tinha certeza absoluta, um guia de viagem para a última etapa da vida de alguém em algum lugar. Não venderia.

Ou venderia? Poderia ser uma série. *Como morrer em Londres. Como morrer em Casablanca.*

Os guias indicariam as melhores épocas do ano para fazer isso, as melhores paisagens para se ter diante do rosto, a sombra de árvore ou o quarto de hotel ou pensão mais convidativos, ou quem sabe um prostíbulo, ou quem sabe um barco em que você pudesse ficar oscilando para cá e para lá, para cá e para lá, até o fim. Até acabar.

Não deveria ser nada grandioso. Pelo contrário. Bastaria, talvez, ir ao mercado principal da cidade e se sentar ali, e ficar olhando o movimento. Teria como ser tão simples? Ou a interferência dos outros (ei, aquele cara não parece nada bem, alguém chame uma ambulância) era inevitável?

Nesse caso, melhor optar pela privacidade de um quarto, com uma porta para fechar e uma chave para trancá-la. Um aviso de FAVOR NÃO PERTURBAR pendurado na maçaneta. Ou um recanto de montanha pouco procurado, onde você encontrasse abrigo à sombra de uma pedra escondida em meio às árvores. Ou um barquinho individual, com o qual você pudesse ir remando para bem longe, toda a vida, literalmente.

Talvez Alex e o filho quisessem acampar nas montanhas. No deserto. No quintal da casa de amigos.

Talvez embarcassem no Grand Marquis com o colega de faculdade dela. Seguiriam pela estrada como uma família completa, e parariam no caminho para tirar fotografias da paisagem.

Tomariam estradas secundárias, onde o rugido do tráfego em alta velocidade ia se calar e o mundo chegaria mais perto, com olhos curiosos. Árvores iam aguçar os ouvidos para escutá-los. Coelhos, marmotas, linces e raposas vermelhas espiariam, atentos.

De todo modo, foi com alegria que David observou aqueles seus antigos companheiros, os gerânios, o liquidificador, o ferro de passar roupa, a barraca de camping, a tevê, a estante e o resto partindo rumo à casa dela. Uma sensação de intimidade compartilhada no fato de que ela ia passar a usar o que antes era seu.

De volta em casa, ele colocou *The Shape of Jazz to Come* para tocar. Reassegurava-o ouvir "Lonely Woman". E "Focus on Sanity". Quando o garoto texano chamado Ornette Coleman estreou em Nova York, houve comentários como aquele de Miles Davis: que diabo, escute só o que ele escreve e como ele toca. Se você estiver falando em termos psicológicos, o cara é totalmente ferrado por dentro.

No Texas, quando garoto, Coleman tinha sido usado como exemplo, pelo líder da banda da igreja, de como *não* tocar.

Logo depois de voltar dos dias em companhia da garota radiante e quando a música passou a fazer parte da sua vida e ele começou a escutar de tudo, meio que aleatoriamente, *The Shape of Jazz to Come* apareceu na frente de David ele nem sabia como.

Não entendeu nada. O sax alto de Coleman era esquisito, parecia desafinar e se afastar por completo da melodia em cima da qual David achava que ele deveria estar improvisando. E de repente todos pareciam improvisar ao mesmo tempo, Coleman e Don Cherry e Charlie Haden e Billy Higgins, e David buscava o apoio dos acordes por baixo do que os instrumentistas estavam tocando e não encontrava.

Deixou o disco de lado. Tempos depois, foi ouvir de novo, e algo se iluminou. Ele ficou tão fascinado que se envergonhou de sua primeira reação. Bem, mas se até Miles havia dito que o cara era totalmente ferrado por dentro.

Ele se sentia relativamente bem. Alguns dias eram assim. Nunca dava para saber de antemão. Era a improvisação dos outros músicos da banda, naquela sua jam session particular.

Às vezes o músico planejava sua improvisação com grande antecedência. David pensou em Louis Armstrong no famoso solo de "Cornet Chop Suey". Mas a verdade era que se podia improvisar a partir de praticamente qualquer coisa. E a matéria-prima talvez nem importasse tanto, desde que se soubesse o que se estava fazendo com ela, e que se tomasse cuidado para que o improviso tivesse propósito e sentido.

Ocorreu-lhe que podia convidar Alex para algum concerto grátis de jazz, daqueles ao ar livre. Jazz é uma música para se ouvir ao vivo, diria a ela. Podia até mesmo convidá-la para um clube da estirpe dos ultrafamosos como o Green Mill, onde ele duvidava que ela já tivesse estado (Capone frequentava, no passado, ele ia lhe contar, feito um guia turístico). Podiam ir ao Underground Wonder para o Bad Ass Saturdaze, quando Lonie Walker tocava com sua banda, a Bad Ass. Ir ao Jazz Showcase. Ouvir blues no Rosa's Lounge. Todo um outro mapa da cidade, com suas grandes avenidas iluminadas e obscuras ruelas secundárias, que ele poderia mostrar a Alex. Gastar uma parte daquele dinheiro que tinha no banco, mesmo que não fosse muito, num propósito nobre.

E seria tudo, um pouco de verão, de música, de companhia e um ser humano não necessita de mais nada, na verdade.

Ele não ia chegar mais perto dela com todas aquelas coisas das quais ela não precisava fazer parte, a sua curva cada vez mais fiel à lista que o médico havia dado — ele havia dito dores de cabeça, náusea, vômitos, fraqueza, dificuldade em andar, perda de memória, perda de visão periférica, dificuldade com a fala, alterações no estado emocional e intelectual, convulsões. Nada bonito, nada animador, mas esse era o solo que David precisava tocar desacompanhado, e de preferência sem ninguém ouvindo.

A cada vez que um objeto ia embora, polos de sujeira ficavam subitamente visíveis. Ele foi limpar o apartamento, devagar, depois do amigo de Alex e do Grand Marquis branco.

Tinha que trabalhar com aquele seu novo ritmo de doente (*tente não fazer muita coisa*), achando mais curioso do que triste o modo como pequenos esforços tinham virado esforços hercúleos (*Cansaço. Exaustão. Vai piorar com a radioterapia, infelizmente.* Estava piorando com a radioterapia, infelizmente).

Lembrou-se de Trung, o patrão de Alex, que ele com frequência via de vassoura em punho, nos corredores do mercado ou na calçada.

Num desses dias, David tinha parado para trocar umas palavras. Foi quando Trung lhe contou, no decorrer da conversa, que tinha sido um monge budista. David nunca tinha conhecido um monge budista.

O que você fazia lá? No templo?

Varria o chão, Trung respondeu.

David achou que era de se esperar, respostas aparentemente simples na boca de ex-monges budistas, mas talvez se tivesse perguntado Trung teria dito não é uma resposta simples, é a verdade.

Depois de cuidar da sala e do quarto, David limpou os vidros, lavou o banheiro. Esfregou azulejos, sem saber muito bem por que isso de esfregar azulejos, mas antes de começar a cozinha caiu na cama, exausto e tonto.

Sua cabeça tinha começado a doer tanto (*tente não fazer muita coisa*) que ele se perguntou se o superanalgésico daria conta, mas, como era sua melhor opção, engoliu um comprimido e voltou a se deitar.

Não, não podia ser um crime. Afeiçoar-se aos dois. Ademais, ele também gostava de passar no mercado para dizer oi a Trung mesmo quando Alex não estava. Não conseguia defini-lo muito bem e costumava se aproximar de pessoas assim. Essas pessoas sem legendas, sem rótulos para orientar os outros.

Em algum momento, naquela noite em que David tocou "Circle" para ela, Alex tinha dito algumas palavras sobre Trung e a guerra. Contou do campo de reeducação, onde ele ficou por dois anos, e que ele quase nunca falava sobre isso. O barco até a Malásia. O grande navio, mais tarde.

Trung era versado em sutras budistas e em poesia chinesa, mas não falava uma palavra de inglês, quando aportou. Não tinha aprendido nenhum ofício, era um homem magro e fraco e ainda se recuperava de algumas doenças.

Em suas primeiras semanas na América — a terra prometida — ele se sentava em um apartamento minúsculo junto com outros três refugiados que fumavam e bebiam durante o dia e no fim da tarde saíam para procurar o que fazer. Era quando Trung arrumava o apartamento, jogava fora latas de cerveja e pontas de cigarro.

À noite, ficava por um longo tempo de olhos abertos, no escuro, deitado em sua cama. E quando acordava pela manhã ele não sabia em que ponto exatamente tinha adormecido. Nem onde exatamente estava.

Lá fora se aproximava um inverno que Trung nunca teria imaginado. Por mais que se cobrisse com camadas e mais camadas de roupas ao sair à rua, nunca parecia suficiente.

Ele até poderia ter ido viver num mosteiro budista, entre os muitos que já tinham se espalhado em seu novo país. Exilar-se dentro do seu exílio. Em vez disso, arranjou um emprego servindo sopa.

Ele sabia que certas coisas eram irrecuperáveis. Feito os dentes de leite da infância.

A mulher de sobrancelhas finas estava no caixa quando David saiu, na terça-feira que começava como um dos dias bons, a fim de procurar algum método de trompete para iniciantes com o qual Douglas pudesse estudar, e passou no mercado para dizer oi a Trung e comprar meia dúzia de qualquer coisa. Maçãs.

Trung lhe ofereceu chá. Tinha preparado uma garrafa térmica e deixado numa mesa, junto com copinhos de plástico, para os fregueses. Ao lado, uma pilha de caixas do chá em questão — de trigo-sarraceno e dente-de-leão. Made in Korea.

Trung tinha escrito num papel, à mão, USADO NO TRATAMENTO DA HIPERTENSÃO DIMINUI O COLESTEROL MELHORA O FUNCIONAMENTO DO FÍGADO PREVINE DOENÇAS GERIÁTRICAS. E logo abaixo em vietnamita também. Aquelas palavrinhas curtas cheias de acentos curiosos.

Os dois foram juntos até a porta do mercado, protegida do sol àquela hora do dia graças ao ângulo dos edifícios.

Ficaram ali parados, o trompetista e o varejista, com seus copinhos de plástico na mão, empenhados em melhorar o funcionamento do fígado e prevenir doenças geriátricas.

Acompanharam com os olhos a moto que passou rugindo alto pela rua. Alguns fregueses entravam no mercado, outros saíam.

Alex me contou de você, Trung disse, depois de algum tempo.

David continuou em silêncio.

Eu sinto muito. Há alguma coisa que a gente possa fazer para ajudar?

Não, na verdade não, mas não se preocupe. Obrigado por oferecer, mesmo assim.

Continuaram tomando chá em seus copinhos de plástico, em silêncio. O alarme de algum carro disparou na rua.

Como se não houvesse um grama de premeditação, Alex chegou em seguida. David vinha caminhando pela calçada, de volta para casa, e ela chegava para o seu turno no mercado.

Pararam ali por um breve instante e ela disse ainda não telefonei para te agradecer pelas coisas. Me desculpe. Esses dias andam meio corridos. Mas eu devia ter telefonado.

Ele levava um saco de maçãs numa das mãos e um método de trompete para iniciantes na outra.

Está tudo bem, não precisava.

De todo modo obrigada.

Espero que Bruno esteja contente com a tevê.

Sim, e obrigada pela música também.

Então você tem escutado.

De vez em quando, sim.

Ela fez um gesto com o polegar na direção de Trung.

Meu patrão está esperando.

E ela se virou, mas David disse, às suas costas, a gente podia sair para comer uma pizza. Com Bruno. Mais tarde.

Ah, sim! acho que ele ia gostar, ela se virou outra vez para ele.

Eu convido.

Não — não, eu recebi meu salário ontem (os pés andando, em marcha a ré, para a porta do mercado).

Mas a ideia foi minha, eu convido.

Ele voltaria às cinco e meia, quando fechavam o mercado. Foi até o parque, fazer hora antes de ir para casa. O velho com o boné do Coliseu estava lá com seu cachorro. Já devia ter lido o jornal, mais cedo. Agora, estava apenas sentado ali, aparentemente sem fazer nada.

David acenou, ele ergueu o boné.

Como vai? exclamou, de longe.

Tudo na mesma, David respondeu.

Tudo na mesma é bom, não é? ele disse.

É, acho que sim.

Ele deu algumas voltas pela rua, ainda, sem motivo. Entrou numa lanchonete e se sentou diante do balcão. Ali atrás havia uma máquina com um líquido cor de laranja e outra máquina com um líquido avermelhado.

Pediu um copo do primeiro. O sabor não importava muito. Estava gelado, e bastava.

Tocou a campainha do apartamento onde Douglas morava, ao voltar para o seu prédio. Foi o próprio Douglas quem atendeu, o cabelo grudado na testa.

Você precisa de um método para estudar, David falou, e entregou a ele o livro.

Mas eu não sei ler música.

Eu te explico alguma coisa, mas eles vão ensinar na escola. Se você vai mesmo tocar com a banda. Agora, você se prepare, o trompete é um instrumento difícil.

Enquanto David subia a escada para o seu andar, pôde ouvi-lo tirando zumbidos do trompete.

* * *

Eu sei que te conheço muito pouco, Alex resolveu dizer a David horas mais tarde, enquanto caminhavam na direção da escola de Bruno. Não sei quase nada da sua vida. Mas queria te fazer uma pergunta.

As mãos dele estavam encaixadas nos bolsos dos jeans. Quatro dedos para dentro, polegar para fora. Usava uma camisa branca, limpa.

Ela estava louca por um banho.

Você acha mesmo que é uma boa ideia isso de ir embora? De viajar? Já conversou com seu médico? Eu estava pensando se não haveria outros tratamentos. Eles têm outras coisas, não têm? Quimioterapia? Você não pode se operar? É que a gente ouve falar de tantos casos em que a pessoa se cura. Nunca se sabe.

Às vezes se sabe.

Alex esperou que ele continuasse. Caminharam calados por um quarteirão.

No meu caso não dá, Alex. Fizeram uma biópsia. Tiraram um pedaço de tecido do meu cérebro, e o troço estava morto. Como é que eles chamam, necrótico, eu acho.

E a quimioterapia?

O próprio médico não me encorajou. Os efeitos colaterais são tão ruins, a minha vida vai virar um inferno tão absoluto que não vai dar para aproveitar nem o finalzinho dela.

Você devia ver outros médicos.

Já andei lendo sobre o assunto.

Mas não viu outros médicos.

Não.

Nem vai ver.

Não sei.

Me desculpa, eu não quero ser insistente. Nem sei se te incomoda falar disso.

Não tem problema, mas não há muito o que falar.

Quantos anos você tem?

Trinta e dois.

Alex se sentia estranhamente impotente, como diante de um burocrata que olhava para o relógio e dizia sinto muito, está na hora de fechar o escritório por hoje. Mesmo que ela tivesse chegado ofegante e suando com todos os seus documentos em punho, e apenas um ou dois minutos de atraso. Sinto muito, por favor volte amanhã. Mas sr. burocrata, o senhor *pode* me atender agora, se quiser. Veja, estou bem aqui, na sua frente, com todos os meus documentos. Sinto muito, por favor volte amanhã. Já encerramos o expediente por hoje. E o burocrata olharia para ela imóvel por trás do guichê.

Escuta, Alex. Eu estou feliz em ir comer uma pizza com você e com o Bruno. Está tudo bem.

Me desculpa. Eu não queria ser inconveniente.

Você não está sendo inconveniente. Mas basta eu passar umas horas com vocês, isso vai ser ótimo.

Que diabos, Alex pensou. Devia haver um limite para certas coisas. Uma idade mínima para doenças sem cura. Mas onde traçar a linha? Onde estabelecer esse e outros limites? Limites para o que acontece com as crianças. Com os velhos. Com os animais. Com os dissidentes. Limites.

O que ela estaria sentindo se fosse com ela. Se só tivesse alguns meses de vida. Pensou em Bruno. Max teria que cuidar de Bruno. Max teria que contar à mulher, finalmente. E talvez ela fosse receber Bruno na família, e depois de algum tempo ele começaria a chamá-la de mãe. E em dez anos mal haveria de se lembrar de Alex. E, se ele visse antigas fotografias dos dois, seria difícil casá-las com o sentimento correspondente.

O pensamento doeu a tal ponto que Alex apertou o passo, deixando David momentaneamente para trás, e chegou à escola de Bruno, na esquina, como quem cruza uma linha de chegada. Vitoriosa por estar ali.

Bruno a recebeu com a tranquilidade de sempre, arrastando a mochila sobre as rodinhas e segurando uma espécie de escultura que tinha feito com um copo de plástico, tampas de garrafa e pedaços de papel colorido.

Olhou para David, disse oi.

Alex não sabia se o seu desconforto vinha de ter tocado num assunto que não lhe dizia respeito ou o quê.

Se fosse ela, poderia vomitar a alma e perder todos os fios de cabelo. Ia se oferecer de cobaia para novos tratamentos. Não ia? Procuraria alopatas, homeopatas, xamãs.

Mas a verdade, ela pensou, era que não tinha a mínima ideia de como seria estar na pele dele. Calçar os seus sapatos. Não tinha a mínima ideia de quem era David. Era um lugar impossível de imaginar, o lugar dele.

Você joga basquete? Bruno perguntou a David em dado momento, enquanto comiam.

Já joguei um pouco, faz muitos anos, mas parei.

Por que você parou?

Eu jogava na escola. Mas depois a gente cresce, precisa trabalhar, e às vezes fica meio que sem tempo para essas coisas.

Eu tenho um primo que é técnico de basquete. Max. Eu posso falar com ele, se você quiser.

Falar com ele?

Para você entrar para o time dele.

David riu.

Ah, eu agradeço você pensar nisso. Mas estou fora de forma. Faz muito tempo que eu não jogo.

Me avisa se mudar de ideia, Bruno disse, e Alex mais uma vez se surpreendeu com as expressões que de tempos em tempos saíam da boca daquele menino tão pequeno.

E você, joga? David perguntou, e Bruno fez que sim.

O meu primo Max é o meu treinador. Particular.

Que sorte a sua.

É. Ele joga muito bem. Você pode vir um dia, se quiser.

Seria um prazer, David respondeu.

Ainda havia uma nata de luz no céu quando saíram da pizzaria. Caminharam até a estação de metrô, Alex no meio, Bruno de um lado e David do outro.

Alex sentia o corpo mole, no leve torpor da bebida que descolava com mais facilidade os seus pés do chão. As articulações deslizavam, escorregadias, e os músculos não faziam esforço algum. Curiosamente, era como se o seu corpo não fosse o seu corpo, mas uma máquina que ela operava com surpreendente facilidade.

Havia alguma crueldade inconsciente nisso. Em se sentir tão saudável, quase imortal. Naquele momento, na verdade, ela *era* imortal, ela e seus vinte e dois anos. Tudo em ordem. Nada a acrescentar. E talvez por isso ela tivesse começado a assobiar. Era uma melodia qualquer, bastante conhecida.

Instantes depois, David, que era o único mortal entre eles, começou a assobiar junto, secundando a melodia.

Ele pegou o braço de Alex e entrelaçou no seu, e foi a primeira vez que ela sentiu a textura e a temperatura da sua pele, depois do breve aperto de mãos aquela tarde no mercado.

E alguma coisa aconteceu, um estalo de proximidade. Ela pensou nos três caminhando ali na rua, revolucionários de alegres, e se lembrou do que David tinha dito antes. Basta eu passar umas horas com vocês, isso vai ser ótimo.

Poderiam fazer de conta que eram uma família. Se um deles era quase latino, o outro quase negro e a outra quase asiática, isso apenas apontava para alguma coisa pouco ortodoxa que não dizia respeito a ninguém.

Duas horas mais tarde, estavam no hospital.

O telefone de Alex tocou quando chegavam à estação onde ela e Bruno tomariam o metrô para casa. Bruno contava a David a história da cachorra Laika.

Alex se encostou num poste e fez força para que a cabeça encontrasse o seu processo normal de raciocínio em meio à leve névoa do álcool. Fez força para que as coisas recobrassem sua seriedade sem assobios.

Estavam ligando do hospital porque foi o nome que Trung conseguiu balbuciar: Alex. Convenientemente, era o primeiro da lista de contatos no seu telefone.

Ela pensou em como as coisas podiam mudar de uma hora para a outra — e depois se corrigiu, porque era só isso: sempre surpresas, tapetes fugindo de baixo dos nossos pés, e a gente achando que tudo seguia alguma ordem. A gente ainda esperando um mundo de um e dois, de certo e errado.

Ela e David não conversaram muito no caminho, depois de deixar Bruno com Rita. Alex pensava em Trung plugado a uma porção de máquinas que bipavam, que traduziam em números e gráficos dispostos num monitor as coisas essenciais que aconteciam no corpo dele. Máquinas-Trung, que faziam por ele aquilo que ele não estava conseguindo fazer, grandes órgãos externos de metal e plástico.

Tinha sido o coração, foi o que falaram. O coração de Trung, o ex-monge e dono de um mercado asiático nascido de uma família vietnamita comum, sessenta e quatro anos antes. Ele havia se sentido mal no metrô a caminho de casa depois de um dia normal de trabalho, e passado da sua estação, pela primeira vez em dezessete anos.

Alguém notou que ele se sentia mal, ou ele pediu ajuda a alguém. E no hospital ele disse Alex, o que a comovia, e fazia com que ela se desse conta de que era a pessoa mais próxima a Trung. Ele teria dito Huong, se a mãe dela não estivesse morando longe dali, mas agora era Alex, era ela: a família de Trung. A pessoa em quem ele confiava, a pessoa com quem ele acreditava que podia contar.

Às duas e meia da manhã, avisaram que a situação de Trung era estável. Por ora seria preciso apenas aguardar. Ele estava medicado.

Disseram palavras como antitrombóticos e cintilografia e a possibilidade disto ou daquilo dependendo disto ou daquilo. Ele estava sedado. Recomendavam que Alex e David fossem para casa e voltassem à tarde.

Ela havia adormecido numa cadeira, com a cabeça encostada na parede. David estava acordado e tinha aberta no colo uma revista para a qual não olhava.

Alex parou diante de uma máquina de café, à saída do hospital. Colocou moedas e apertou um botão. Obrigada, ela disse a David.

Não precisa agradecer. Eu gosto de Trung.

Sim mas no seu caso, ela começou a dizer, e parou a tempo, porque não sabia se devia ou não dizer mas no seu caso você *também* está doente. E bem poderia ser *você* internado aqui neste hospital.

Ela parou a tempo, ele notou seu constrangimento e fingiu que nem havia escutado.

O cheiro do café que escorria para dentro do copinho de papel foi bem-vindo. Alex não olhou para David enquanto pensava no que ele havia dito, sobre gostar de Trung.

Gostar era algo que se construía com o tempo, feito um histórico de crédito?

Fazia algumas semanas que David tinha chegado às suas vidas. Era possível usar essa categoria, o gostar? E poderiam usá-la entre eles dois, também? Ou no seu caso havia policiais armados tomando conta das palavras, e precisavam de um passe, de uma autorização?

De manhã vou avisar a minha mãe, Alex falou.

Ela olhou pela janela escura do táxi, que refletia e borrava o seu rosto e o de David.

Você me liga se precisar de alguma coisa, ele falou.

Obrigada. Você também me liga se precisar de alguma coisa.

Ele riu. Ela acabou rindo também.

Alex tropeçou na escada do seu prédio, exausta, confusa. Entrou em casa e foi para o quarto estranhamente vazio, sem Bruno. A cama dele arrumada, a fotografia autografada do time de basquete na parede.

Chutou as sandálias para qualquer canto antes de se deitar na cama, e achou que ia pensar em Trung, em sua mãe, em Max, em David, mas não pensou em ninguém.

4

O vidro com as conchas estava sobre a mesa, que logo iria embora também, junto com o sofá. David tinha prometido os dois ao casal que acabava de se mudar para o apartamento ao lado. Vocês podem vir pegar no fim do mês, havia dito.

O casal tinha vindo do Arkansas. Ela pretendia estudar farmácia. Ele não pretendia estudar nada. Ela era loura e tímida e quase não falava. Ele tinha uma barba respeitável e estava sempre de boné e também quase não falava.

Quando encontravam David na escada eles sorriam muito, ele por baixo da barba, ela com seus olhos claros por trás dos óculos.

As conchas estavam ali, agora, sobre a mesa já menos sua, feito um porta-retrato com a foto da família que ele um dia tinha formado com sua mãe e seu pai.

Guadalupe, a mexicana bonita, sabia tocar piano. Uma vez ela havia lhe contado isso. Quando era pequena, em Hermosillo, a avó dela tinha um piano e a ensinou a tocar.

David nunca tinha ouvido sua mãe ao piano. Pediu que ela tocasse uma vez, quando passaram em frente a uma loja de instrumentos musicais. Havia um piano branco na vitrine, e parecia tão apropriado que Guadalupe se sentasse ali, os cabelos compridos às costas, para tocar. Não, ela havia dito. Faz tempo demais que eu não toco. E além disso tem muita gente na loja.

E agora esse era mais um dos mistérios dela, aqueles itens que os fantasmas guardam trancados em armários, fora do alcance dos vivos. Sua mãe ao piano era uma memória inventada. Era algo que estava no passado de David sem estar. O piano que ele nunca tinha ouvido sua mãe tocar: teria dado no trompete que ele descobriu com anos de atraso?

Quem me dera, David pensava, ter começado a tocar com a idade de Douglas. Teria passado uma adolescência inteira com o trompete. E quem sabe o que poderia ter sido diferente, nesse caso. Talvez glioblastomas multiformes não se desenvolvessem em vidas dedicadas à música desde cedo. O tumor ouviria Django Reinhardt tocando "Naguine" e Jaco Pastorius tocando "The Chicken" pelos ouvidos do dono daquele cérebro e resolveria deixá-lo em paz.

David pegou uma das conchas. Formada do jeito mais conveniente ao animal que morava dentro dela, sem saber que seria usada como exemplo de espiral logarítmica pelos matemáticos, conforme ele tinha lido no jornal certa vez. O que é que os moluscos sabiam de matemática? E que alguém até chegaria ao ponto de afirmar que tal perfeição não podia ser obra do acaso (David sabia aonde esse raciocínio levava). Para ele, contudo, a concha não era espiral logarítmica nem era o documento de identidade de um deus: era a sua infância, era a sua mãe, era aquela praia, aquele verão.

Vestiu-se e saiu para a sua consulta. Tinha estado a ponto de desmarcar, mas havia agora uma esperança encalhada nele feito o esqueleto colossal de um navio, a esperança de que o diagnóstico estivesse mesmo errado.

Não cem por cento errado, claro — ele se lembrava da ressonância magnética que havia mostrado seu cérebro: parecia uma batata. Ou, antes, uma fruta. Uma fruta cortada na metade com aquelas singelas reentrâncias e um caroço fora do lugar.

Mas talvez não fosse *bem* aquilo. Talvez fosse alguma coisa curável. Mesmo a biópsia tendo tirado um pedaço de tecido morto dali. Sabe-se lá. Ele não entendia nada de medicina. De repente era um outro tipo de tumor, em que mais sessões de radioterapia e quantas fossem necessárias de qualquer outra coisa disponível dessem jeito.

Ele não processaria o médico, se o diagnóstico estivesse errado. Ao contrário: ia convidá-lo para tomar uma cerveja, ou um uísque, ou fosse o que fosse que o médico bebia, vodca, martíni, quantas doses ele quisesse, e pagaria a conta.

Os dois contariam piadas e falariam dos assuntos mais inofensivos que houvesse para falar, bêbados como gambás. Dariam muitas risadas. Essa foi por pouco, doutor! David diria, ao se despedir do oncologista para nunca mais voltar a vê-lo. Lembranças à família!

Chegou à clínica com essa esperança imensa, desajeitada, talvez inoportuna.

Sim, o tumor havia diminuído um pouco. Sim, claro que continuaria lá. Sendo aquilo mesmo que ele era.

O senhor tem certeza, doutor.

Há certas ocasiões em que não é possível não ter certeza.

Sempre é possível não ter certeza.

O médico lhe mostrou mais uma vez a imagem. Sua voz vinha do fundo de uma piscina, e obviamente era ininteligível enquanto ele narrava os próximos e últimos meses da vida de David, como uma cartomante lendo coisas assustadoras num baralho cheio de imagens cifradas, e David de repente ergueu a mão.

Sacudiu negativamente a cabeça. Disse eu vou viajar.

Mas nas suas condições, o médico falou, e depois mais uma vez as palavras se perderam, subaquáticas.

David precisava sair dali. Era uma situação estranha e desconfortável. Disse que telefonaria.

Foi ao banheiro, onde uma pequena placa acima da pia dizia JÁ LAVOU AS MÃOS? ESSE HÁBITO SIMPLES PREVINE DOENÇAS.

Escapou da clínica como se escapasse da boca de uma baleia que tentava engoli-lo. Caminhou acelerado por dois quarteirões, esquecendo-se da fraqueza que sentia — quem sabe havia como despistar sua parte hospitalizável, deixá-la para trás, ali onde ela se ajustava melhor, e ir embora só com a parte saudável.

Merda. Parou sem fôlego ao lado de uma grade. Chutou a grade, que estremeceu com um lamento metálico. Chutou de novo. Não olhou para as pessoas que olhavam para ele ao passar. Entrelaçou os dedos na grade e encostou a testa no metal frio.

No metrô, colocou seus fones de ouvido apenas para garantir que Miles Davis também não estava no fundo da piscina. "Doxy" surgiu no mundo. Sonny Rollins e Miles mais claros e cristalinos do que nunca.

Foi em casa buscar seus documentos. Pela primeira vez na vida, tiraria um passaporte, e não seria para visitar familiares em Hermosillo ou em Capitão Andrade.

Seus pais tinham vivido ilegalmente no país até morrer, portanto essa singeleza de rever a família nunca havia feito parte da vida de David. Sair podia significar não voltar e ninguém estava disposto a correr esse risco.

De vez em quando alguém vindo do Brasil ou do México aparecia em sua casa e se identificava como tio, como tia, em certa ocasião até seus avós capitão-andradenses vieram passar o Natal. Mas o custo da viagem era quase inviável. E aos mais jovens e afoitos o consulado havia reiteradamente negado vistos. Como àquele primo brasileiro que dava aulas de capoeira em Governador Valadares (porra, mas eles te cobram uma grana, aí negam o visto e não devolvem o dinheiro! o primo esbravejou, por telefone).

O brasileiro de Capitão Andrade descendia de italianos. A mexicana de Hermosillo, até onde se sabia, descendia do povo que Hernán Cortés praticamente dizimou. Uma vez, muitos anos antes, David tinha escrito sobre isso na escola: sobre Cuauhtémoc, cujos pés o conquistador queimou numa sessão de tortura, em busca do tesouro oculto dos astecas, antes de mandar executá-lo.

A história da humanidade era coalhada dessas coisas. Conquistadores, torturadores, guerreiros. Esse tinha se transformado no seu principal argumento para ser um não conquistador. Um adolescente que não apostava corridas, estranhamente neutro diante daquela balança que lhe dizia ou você perde, ou você ganha — não existe o meio do caminho.

Na escola, quando David era criança, a turma toda tocava flauta doce na aula de música. A professora distribuía fitas coloridas — faixas, inspirada nas artes marciais. Havia as crianças que eram faixa amarela de flauta doce, as que eram faixa laranja, e assim sucessivamente, até a elite das poucas que tinham chegado à faixa preta.

David era faixa amarela. Ele detestava flauta doce. E aquela fitinha amarela ficava pendurada ali, como um símbolo de sua falência numa atividade de que para começo de conversa ele nem queria participar.

Quase um quarto de século depois, vinha Lisa lhe dizer que ele poderia ser mais bem-sucedido. Mas ele era bem-sucedido! Sua vida o satisfazia plenamente, quando moravam juntos. Tinha a ela, uma namorada de quem gostava. Tinha o seu pequeno apartamento alugado, recheado com as coisas que tornavam a vida confortável: pratos, cobertas, papel higiênico. Tinha um trompete e um acervo musical espetacular. Uma estante com livros interessantes. Um aquário. Uma tevê para assistir aos jogos. Tinha um emprego que lhe permitia pagar por essas coisas e tempo para ler o jornal. Quando era verão, ele se comportava como uma pessoa durante o verão.

Quando ventava, ele saía de casa sabendo que estava ventando. Quando nevava, ele vestia agasalhos apropriados. Não conseguia conceber uma vida melhor do que essa.

Por que é que ele precisava ser promovido, ganhar mais um grau, galgar mais um degrau? Por quê, Lisa? Por que é que ele precisava ser faixa preta de flauta doce se não tinha o mínimo interesse em tocar flauta doce?

No apartamento, agora já não havia mais quase nada. Era bom saber que afinal suas coisas haviam encontrado funções na vida de outras pessoas. No quarto, a cama prometida aos vizinhos boiava sozinha. Suas roupas, as que tinham continuado suas, estavam penduradas em cabides na maçaneta da porta. Na sala, a mesa e as quatro cadeiras prometidas aos vizinhos, o sofá prometido aos vizinhos, um ventilador e o trompete em seu estojo. Alguns livros empilhados no chão. Na cozinha, duas panelas, um punhado de copos, pratos, talheres, uma caneca.

Depois de tirar a foto para o passaporte, David levou tudo à agência dos correios. De quatro a seis semanas, disseram-lhe. Sim, claro, você pode com segurança marcar a sua viagem para daqui a dois meses. Ah, Vietnã? Dizem que é muito bonito.

Ele tomou o analgésico antes de se encontrar com Douglas para mais uma aula de trompete.

A mãe de Douglas lhe serviu um copo transbordante de chá gelado. Disse-lhe que ele era um bom vizinho. Que pena que ia se mudar (iam sentir sua falta).

O irmão mais novo de Douglas assistia a um desenho animado sem som na televisão. A janela do apartamento deles dava para o pátio onde crianças brincavam num escorrega, dentro de um grande quadrado de areia.

Era uma dessas tardes brilhantes, iluminadas, em que sopra uma brisa fresca e o calor é apenas o necessário para que você se sinta confortável dentro das suas roupas, e se dê conta de que tudo é de uma simplicidade estonteante.

Estonteante, no caso de David, podia ser literal. Ele quase caiu na escada, ao terminar a aula de Douglas e voltar para o seu apartamento. Sentou-se numa cadeira. Imaginou como seria em Hanói.

Talvez ela pudesse convencê-lo a se contentar com a imaginação. Às vezes você pensa que quer ir até um determinado lugar, mas imaginar esse lugar pode ser mais valioso do que conhecê-lo de verdade.

Na sua imaginação, você tem como evitar os invernos rigorosos e os verões infernais, tem como evitar o ar tolo do estranho recém-chegado que precisa conferir o nome das ruas a toda hora. É preciso coragem para sair, também é preciso coragem para ficar. É preciso coragem para calçar os sapatos do estrangeiro, também é preciso coragem para concluir que talvez você não seja estrangeiro, mas conterrâneo.

Ir embora, Alex pensou — ir embora é uma história que você começa a contar e que, como o início de todas as histórias, vale não pelo que significa mas pelo que pode vir a significar.

Então você pode muito bem começar a contar uma outra história: aquela em que fica. Em que abre as janelas para a mesma rua. Não tem mala, passagem de trem ou ônibus ou avião.

Não precisa descobrir nada, conhecer nada, não precisa ir riscando itens de uma lista. Pode se satisfazer com aquilo que é familiar.

Troque o valor da novidade pelo valor do reconhecimento: a inscrição num muro, o ruído da chave na porta de casa, a funcionária do banco. O cachorro tomando sol no parque. Esses micromundos que se juntam para formar o seu micromundo.

Em vez de entrar num avião para uma viagem que ela nem sabia quantas horas duraria, David podia ficar. Ali.

Mas talvez ele insistisse. Talvez a cidade que ela havia mencionado sem pensar duas vezes fosse agora muito importante para ele, justamente por todo o significado que não tinha. Isso de partir rumo ao desconhecido. Meio página em branco, meio roleta-russa.

Nesse caso, e se ela fosse junto? Ele não podia dizer que não. Afinal, Hanói era responsabilidade dela. E não, ela não tinha dinheiro para uma passagem até um lugar tão distante. Mas daria um jeito.

Ou quem sabe encontrariam juntos tratamentos alternativos.

Ou quem sabe ela não devesse se meter na vida dele.

Mas agora era tarde.

Na ausência de Trung, os funcionários estavam cuidando do mercado. Alex e os outros. Ela havia assumido a gerência, e achava que isso incluía dar alguma atenção a Quan Âm, antes de fechar as portas do mercado, no fim da tarde.

Foi até o altar na salinha de Trung e acendeu um incenso, para o caso de Quan Âm vir a sentir falta.

Trung volta em breve, Alex lhe disse, mas se era verdade que Quan Âm ouvia os ruídos do mundo ela com certeza teria ouvido os ruídos diferentes depois que Trung não desceu em sua estação pela primeira vez em dezessete anos ao voltar do trabalho.

Era uma estatueta bonita. Quan Âm estava de pé, e os traços do seu rosto eram simples e tranquilos. Tinha os olhos semicerrados, a mão direita num gesto que Alex não sabia o que significava — o polegar tocando o anular — e a mão esquerda segurando um jarro inclinado.

Ela completou a água do pequeno recipiente no altar. Colocou flores frescas que tinha trazido do supermercado na Broadway. Pensou que a intenção valia, mesmo que não fosse devocional. Ou, antes, mesmo que fosse devocional a Trung, e não a Quan Âm.

Aquele era um dia de Max. Ele havia telefonado na véspera, dito amanhã tenho um tempo livre e queria ver o Bruno, se não tiver problema.

Como sempre, Alex não queria pensar no assunto Max, o que equivalia a ter dois trabalhos: o de pensar e o de fazer força para não pensar.

Mas naquele dia havia uma terceira ocupação fazendo sombra nas outras duas. Desde cedo Alex ensaiava o que pretendia dizer a David depois que fechasse o mercado. Trancaria as portas e ligaria para ele.

O telefone no seu bolso era um nervo inflamado. E se ela ligasse e ninguém atendesse? Havia sempre essa preocupação. O toque de pura inocência telefônica chamando alguém que já morreu — a gente lia sobre isso nos jornais. Acontecia nas tragédias, como as bombas no trem em Madri ou o massacre do cinema em Aurora, no Colorado. Os familiares telefonando para saber se seus filhos ou pais ou irmãos estavam bem. E os telefones tocando, como cães bem treinados. No meio dos escombros e da confusão, esses estranhos sobreviventes. Ela ficava apreensiva todas as vezes que ligava para David.

Mas ele atendeu.

Preciso conversar com você, Alex disse.

O que houve?

Não houve nada, mas eu queria conversar.

Quer sair? Tomar um café?

Como você está hoje? Quer dizer, é um dia ruim, ou —

Não, o dia não está tão ruim, ele disse. Você está no trabalho?

Indo para casa. Você me encontra lá? E saímos?

Claro. Tem certeza de que não aconteceu nada? Trung está bem?

Não, Trung está bem. Vai ter alta amanhã. Minha mãe e minha avó chegaram hoje e estão com ele.

Quan Âm tinha muitos ouvidos, tantos quantos fossem necessários. Ela ouvia a bola de basquete na quadra e os gritos de felicidade de Bruno, e as instruções de Max. Devia ter ouvido os ganidos de Laika no espaço e o ruído quase imperceptível que fazia o seu corpo tremendo de medo. Os bipes das máquinas-Trung, aqueles aparelhos com nomes complicados aos quais o haviam plugado na unidade coronariana.

Devia ter ouvido o silêncio e os significados do silêncio quando Alex foi visitá-lo no hospital, e segurou sua mão entre as mãos dela. Ouvido a fricção mínima do polegar de Alex acariciando as costas da mão dele. E entreouvido as conversas entre ele e David no dia seguinte, quando Trung já estava no quarto e o jovem amigo de Alex tinha passado algumas horas lhe fazendo companhia. (Você não devia ter vindo, Trung disse. Sei que é muito esforço. Não, está tudo bem, David respondeu. Por enquanto ainda consigo.)

Quan Âm devia ter escutado a mãe de Alex retorcendo as mãos no ônibus a caminho de Chicago, preocupada, apreensiva. Certamente ouvia os passos de Alex enquanto ela caminhava depressa para casa, agora, e todas as conversas no metrô. Os toques dos telefones não atendidos.

Como será que Quan Âm não enlouquece? Alex pensou.

Ela se enfiou debaixo do chuveiro e foi colocar duas cervejas no freezer. Tinham falado em sair e tomar um café. Mas que diabos.

Pensei que a gente podia sair para comer alguma coisa, David disse, quando chegou, e Alex nunca soube quantos deuses de quantas religiões ouviram quando ela ignorou o convite ou viram quando passou os braços em torno dele antes mesmo que ele entrasse, e quantos se deram ao trabalho de observar que o corpo dela doía. Seu corpo inteiro doía.

Percebeu que estava apavorada com a ideia de que ele fosse morrer tão cedo. E de que não houvesse nada que ela pudesse fazer a respeito. Abraçava-o, e sentia como estava magro, e queria pegar músculos e gordura e socar ali dentro, pegar o pedaço doente dele e arrancar e jogar fora. Pronto. Como num passe de mágica.

Você precisa de companhia em Hanói, ela disse. Eu vou junto.

Não dá, Alex, ele disse, recuando um centímetro.

Mas ela já tinha colocado as mãos no seu rosto e faltava muito pouco para todo o resto, para o que viria em seguida como um desdobramento da primeira vez que ele puxou conversa com ela no mercado, do momento em que ela traduziu a placa atrás do caixa. AGRADECEMOS POR COMPRAR CONOSCO.

Porque não era um crime, era? Afeiçoar-se? Depois passar a gostar? E a desejar?

Muitas histórias de amor são cheias de promessas e perspectivas. Várias não são. Alex pensou nisso, ou em algo parecido, e pensou também dane-se. Dane-se.

David a beijou enquanto fechava a porta e soube que sim, de fato era o que ele queria fazer. Desde o primeiro dia, os cabelos de Alex mal presos num rabo de cavalo, ela usando um jaleco azul tão pouco atraente. E quando ele fez isso sumiram os problemas, já não havia mais um grama de preocupação em parte alguma.

Ela tirou a camisa dele enquanto as cervejas congelavam no freezer e enquanto as mãos dele subiam por dentro do seu vestido. Ela o beijou enquanto Max e Bruno jogavam basquete e

Trung sonhava com florestas tropicais não calcinadas, enquanto uma pequena estrela entrava em colapso em algum canto do universo e virava uma supernova.

Não havia nada de particularmente especial naquilo. Queriam ir para a cama um com o outro. Foram para o sofá, que ficava mais perto.

É o que as pessoas fazem para sobreviver, Alex pensaria mais tarde, enquanto uma porção de insetos dançava dentro do seu peito. As pessoas encontram um lugar onde apoiar o corpo. Pode ser uma janela, os escombros de uma parede numa cidade devastada pela guerra, uma árvore, um sofá. Em todos os lugares, épocas e situações. Depois encontram um jeito de apoiar o corpo no corpo da outra pessoa.

Com eles, foi David sentado no sofá de segunda mão do apartamento de Alex, e as pernas dela enganchadas nele com a força que se adquire nesses momentos, suas coxas envolvendo-o pela cintura, as mãos dele puxando os seus quadris. Cravadas ali, afundadas na sua carne, enquanto ela agarrava as costas dele sem medo. O que era o medo, afinal? Algum parente do tempo, ela pensaria depois. Você só ficava com medo se levasse o tempo a sério — o passado a que se seguia o presente a que se seguia o futuro. Um sistema cheio de lógica e gravatas-borboleta. No instante em que você saía da rota, o medo se desmanchava como uma ideia descabida, como uma história sem sentido.

Então as pessoas suavam, arquejavam, e desistiam de pensar, mesmo que supernovas, bolas de basquete e cervejas congelando no freezer atravessassem sua mente.

As pessoas desistiam de encontrar uma saída.

E depois os dois estavam em pé diante da pia da cozinha, com peças avulsas de roupa ainda no corpo, ou de novo no corpo, comendo pudim, o *chè bắp* de que a mãe de Alex tinha feito duas tigelas na casa de Trung, uma para quando Trung chegasse do hospital, outra para Alex e Bruno. As cervejas congeladas estavam dentro da pia.

O que é? David perguntou.

Prova, depois diz que gosto está sentindo, Alex falou.

Milho. Coco.

Acho que é mais ou menos isso que leva. Baunilha.

Ele pediu a ela para dizer *chè bắp* de novo. Para lhe ensinar a pronúncia. E depois os dois estavam no chuveiro com suas mãos em seus corpos como se precisassem de tantas mãos quanto Quan Âm tinha ouvidos, uma para cada poro, para cada célula. Ela se ajoelhou diante dele. Traçou com as pontas dos dedos o caminho que a água fazia nos pelos da sua barriga.

* * *

David pôs para tocar alguma música que queria que ela escutasse. Sentou-se diante dela, à mesa vazia.

Onde está o Bruno, perguntou, finalmente dando por falta do filho dela.

Alex suspirou.

Um dia te explico melhor. O pai dele não morreu, mas é casado, tem família. Então ele vem ver o Bruno sempre, mas diz que é um primo. As coisas às vezes são complicadas.

Eu sei.

Eu era muito nova. Por enquanto resolvemos deixar as coisas assim.

O primo que é técnico de basquete.

Às vezes me arrependo.

De quê?

De não ter contado logo tudo para o Bruno desde o início.

Mas você mesma disse. As coisas às vezes são complicadas.

David ainda não havia notado que Alex tinha mãos tão pequenas.

Por que é que você quer ir embora sozinho? Eu poderia ir com você. A gente poderia ir para um lugar mais perto. Sei lá. Não precisa ser o Vietnã. A gente arranja um carro emprestado, faz um passeio e depois volta. Você dirige? Eu não tenho muita prática, mas sei dirigir.

Alex. Coisas ruins vão acontecer, e talvez você não queira estar por perto.

Já li tudo o que precisava ler a respeito. Sei o que vai acontecer. Você não pode ficar sozinho.

Podemos falar sobre isso depois?

Quem sabe você desiste da viagem.

Queria que você escutasse isto. É Ravi Coltrane no sax. Ravi Coltrane, você sabe.

Alex não sabia nem estava com vontade de saber. E aliás nem queria escutar música naquele momento. Mas parou de falar para escutar, mesmo assim.

Em geral, ela não se impunha aos outros. Max era um exemplo. Mas David não fazia a menor ideia do que era o Vietnã e de como se virar no Vietnã quando as coisas ficassem feias.

Ela também não fazia, certo, mas pelo menos falava a língua. Pelo menos sua mãe e sua avó vinham de lá, e por conta disso não eram poucas as suas referências, mesmo que fizesse décadas que as duas tivessem ido embora e certamente tudo estivesse bem diferente da memória que elas ainda guardavam. Não estava doente. Bruno, o emprego, a faculdade: ela encontraria uma solução. Ela sempre encontrava uma solução, não encontrava?

Enquanto pensava nisso, escutando a música só com metade da atenção, escutando só porque David tinha lhe pedido que escutasse, a campainha soou.

Depois que Alex abriu a porta, os olhos de Max pararam nela por meio segundo antes de descobrir David sentado à mesa, os cabelos, como os dela, ainda molhados.

Alex apresentou um ao outro: Max. David.

David se levantou e se aproximou da porta, mas não muito. Ele e Max ficaram num gesto parecido a um aceno interrompido no meio do caminho.

Era suficiente. Bruno passou por David e disse oi com uma informalidade que deixava claro que já se conheciam, e foi para o quarto.

Vamos para o banho já! Alex gritou para ele.

Meia hora, ele respondeu.

Quinze minutos, ela negociou, sem nenhum motivo além de querer que as coisas ficassem mais prosaicas.

Era incômoda a combinação de David no meio da sala, apoiado nas costas do sofá, e Max parado na porta. E aquela música tocando, um piano e um saxofone cem por cento à vontade, achando que tudo estava muito bem assim.

Max provavelmente entendeu, e disse a ela te vejo mês que vem. Acenou de novo para a dupla que Alex agora formava com David, antes de sumir no corredor.

Quando foram juntos visitar Trung, dois dias depois, havia algo de perceptivelmente diferente no seu modo de andar, de falar, de comer.

Huong colocou na mesa a grande tigela de arroz, o tofu frito, os legumes fritos e a salada fresca, a sopa, o picles de mamão papaia, o molho. Bruno se lançou à aventura de investigar aquelas coisas com a alegria rara que era comer uma refeição preparada por sua avó, e Alex pensou com tristeza nas pizzas congeladas que ocupavam mais espaço do que deveriam na sua geladeira.

Tudo havia mudado no seu modo de olhar para David, de se dirigir a David, e Alex tinha certeza de que a novidade estampada ali era óbvia mesmo para Trung. Mesmo para Bruno, que aos quatro anos de idade ainda não tinha somado a cor da pele de Alex à cor da pele do primo Max (ou tinha, e ingênuos eram os outros?).

Tudo havia mudado até mesmo no modo como Alex e David evitavam olhar um para o outro. As suas visões periféricas se encontravam enquanto ele equilibrava o arroz em cima do seu *đũa*. Não era muito proficiente.

É só você pedir um garfo, quando chegar lá, Bruno disse.

Trung, Huong e Linh olharam para David. Quando chegar lá onde?

Ele vai para o Vietnã, Bruno respondeu à pergunta que ninguém fez.

Foi o momento em que David deixou de ser o amigo de Alex e passou a ser um pop star. Quando ele ia? Para onde exatamente? E por quê?

Alex espetava o tofu com a ponta do seu *đũa*. Fez vários buracos. Alguém que olhasse poderia pensar que era uma espécie de vodu, mas ninguém olhava, porque David era o novo centro das atenções.

Ela espetou e espetou até seu tofu ficar parecendo uma esponja. Bruno notou, divertido, e começou a fazer o mesmo.

Hanói, a cidade entre os rios — Linh amava Hanói, ainda que a conhecesse apenas como parte da Indochina. Hà Nội com pronúncia francesa, assinando Hanoï. E com o dado complicador, para ela, de ter nascido em plena ocupação japonesa, durante o governo de Vichy.

Mas o que então ela tanto amava ali, Alex se perguntava, enquanto seguia espetando seu pedaço de tofu.

Uma cidade que estava sob domínio estrangeiro enquanto Linh viveu lá, e depois que finalmente voltou a ser Hà Nội — depois da última batalha da Guerra da Indochina, Điện Biên Phủ, quando o general Võ Nguyên Giáp se sagrou vitorioso sobre os franceses — a família dela migrou para o sul. Cruzou o paralelo dezessete, deixou a nova República Democrática do Vietnã e foi viver no Estado do Vietnã, sob o imperador Bảo Đại (que no entanto morava em Paris), último imperador da última dinastia vietnamita.

Ela era ainda pequena. Não entendia muito bem o que era a liberdade, não sabia que a liberdade tinha rostos distintos para pessoas distintas de acordo com o contexto.

Não tinha, sobretudo, como prever o sargento Derrick e todo o resto. Linh amava Hanói, ainda que não soubesse o que era Hanói.

Linh tinha nascido na Indochina, crescido na porção sul de um país dividido ao meio, amado um soldado de uma guerra que não tinha escolhido, sido vítima duas vezes dessa mesma guerra, que ganhou e perdeu, e depois fugido em busca do que não a esperava em lugar nenhum.

Uma expatriada desde o berço, uma expatriada para sempre. Um resto de qualquer coisa, jornal, sacola de plástico, que vai sendo levado por aí com o vento, sem muito propósito.

Duas gerações depois, o que é que Alex tinha a ver com isso?

Uma lua de distância da história de Linh e Huong e Trung, o que David tinha a ver com isso?

Guerras em países distantes, e ainda por cima em décadas passadas, eram para os livros de história. Eram para alguém fazer um documentário de tempos em tempos. Eram para os pesquisadores dos departamentos apropriados nas universidades.

Não eram para deixar nosso corpo desassossegado, como se fosse conosco, Alex pensou. Não era conosco. Certo?

* * *

Bruno e sua bisavó se aconchegaram no sofá. Linh tinha histórias para contar a ele, em voz baixa, num daqueles momentos que eram só dos dois. Alex sabia que começariam pela preferida de Bruno: os dragões descendo do céu para lutar contra os invasores, contra os inimigos do Vietnã, e cuspindo jade sobre a baía. As pedras se transformando em ilhas, e bloqueando a passagem do inimigo. Depois da vitória, os dragões concluindo que aquele era o lugar mais bonito do mundo e decidindo morar ali.

O lugar mais bonito do mundo, Linh dizia.

Depois das histórias, os dois adormeceriam por algum tempo. O sofá macio, o estômago cheio: agora tudo era fácil.

Com o tempo, Bruno crescia e sua bisavó minguava. Dentro de alguns anos os dois teriam o mesmo tamanho — antes que a genética do técnico de basquete o alavancasse para outra escala.

Enquanto os dois contavam histórias, Trung e Huong foram para a varanda, e ficaram ali, conversando em voz baixa como dois namorados num outro tempo. Dois namorados que ainda não sabem que são felizes.

A casa geminada onde Trung morava era talvez mais monástica do que o templo onde ele havia vivido durante alguns anos. O branco das paredes não pedia nada. Paredes davam a impressão de existir com a função de sustentar tetos e de oferecer alguma proteção e isolamento às pessoas, só isso. Os móveis não precisavam embelezar: bastava que fossem coisas com funções. Cadeiras para acomodar pessoas sentadas. Mesa para sustentar pratos, copos e cotovelos. E havia paz nisso, havia gratidão no fato de as coisas ali não parecerem ter responsabilidade estética.

Alex e David lavavam a louça. Ele falava a ela de um show de John Abercrombie a que tinha assistido. Estava contando a ela uma piada que o guitarrista havia contado no palco, sobre o cara que chegava bêbado a seu apartamento, à noite, metia a chave na fechadura e girava, e o apartamento ligava, como se fosse um carro. O cara então pensava, bem, já que é assim, vou sair para dar uma volta com o meu apartamento.

E quando o sujeito da piada estava dirigindo seu apartamento pelas ruas David parou, um prato ensaboado na mão, e olhou para Alex, e foi como se estivesse observando alguma coisa através dela.

Ficou assim durante alguns segundos. Quinze ou vinte. Segundos demais, para Alex.

Ela pegou o prato de suas mãos e colocou de qualquer jeito dentro da pia.

(Já li tudo o que precisava ler a respeito. Sei o que vai acontecer.)

Na varanda, Trung e sua mãe conversavam. Linh e Bruno cochilavam abraçados no sofá da sala. O coração de Alex em disparada e suas mãos geladas pediam a David por favor — por favor o quê? Fique bem? Mas se ele não ia ficar bem.

Ele olhou para ela como se acordasse, de repente, de um sonho.

O que houve? ela quis saber.

O que houve o quê?

Você parou de falar de repente.

Ele não se lembrava.

Não sei o que foi.

Então não foi nada, Alex disse, virando as costas para apanhar um copo d'água, o que convenientemente escondia a expressão do seu rosto.

Ele não vai ficar bem, ela pensou. Vamos partir daí, então.

Ele não ia ficar bem. Mas assim mesmo queria levá-la para assistir a um show na quarta-feira. (Meio jazz, indie rock, hip hop e soul, David tinha dito. Escute. E ela não tinha a menor ideia do que significava aquela mistura de definições.)

Alex havia colocado para tocar o álbum do trompetista que iam ouvir naquela noite, Christian Scott, enquanto se arrumava. Ouvia a segunda faixa do álbum. Uma guitarra áspera raspando na melodia do trompete.

Ela escolheu um daqueles vestidos que raramente saíam do armário. O vestido pareceu aliviado em poder respirar ar puro de novo. Em se ajustar ao corpo dela, que era como um velho amigo seu, e ir para a rua, ouvir vozes e música e risadas.

Claro que era bom se arrumar (perfume, batom, brincos) para sair com um cara que vinha buscá-la em casa, um cara fascinado por música que queria que ela ouvisse tudo, todas as suas preferências, todos os músicos que eram importantes para ele. Que tinha deixado os seus arquivos musicais no computador que lhe deu de presente. Que tinha aquele talento invejável para apagar o resto do mundo e dizer a ela agora preste atenção nesta parte.

Mas claro que havia também uma sombra em tudo aquilo, assim como na música que ela agora escutava. David tinha lhe falado que aquele álbum, *Anthem*, havia sido composto em seguida a uma tragédia. Falava da cidade de Nova Orleans natal de Christian Scott, e da passagem do furacão Katrina. Era escuro e vazado pela tristeza. Mas também falava de resiliência e determinação.

Resiliência, Alex pensou mais uma vez.

Aquela palavra.

A capacidade de um corpo de recobrar sua forma original após choque ou deformação. Ela ouvia o sopro do trompetista, ouvia o ruído do ar passando dos seus lábios para o trompete.

Ele não ia ficar bem, David. *Resiliência e determinação*? Esquece.

Mas os dois teriam uma oportunidade durante algum tempo. De ouvir juntos as músicas que ele queria que ela conhecesse. De conversar um pouco. Sei lá, ela pensou. Pensou em Trung já em casa, depois da alta do hospital, em Huong e Linh cuidando dele, e cuidando também de Bruno, para Alex, naquele dia.

A sua gente. As pessoas que faziam parte da sua vida. Por quanto tempo? E como seria dali a um ano? Dez? Como seria *no dia seguinte,* data que só existia na imaginação?

Coisas ruins iam acontecer, e ela não ia querer estar por perto, David tinha dito.

Mas ela queria estar por perto. Querer não era um verbo sinônimo de pensei bem, refleti, pesei os prós e os contras e concluí que. Era um verbo físico, não mental.

Era um verbo que se conjugava com o estômago, com os músculos, com o frio das mãos e o nó esquisito na parte inferior da garganta, não com as ferramentas da sabedoria e da ponderação. Era um verbo que acontecia no mercado negro das decisões conscientes.

Era aquele verbo de colocar o vestido no corpo e sentir o respingo do perfume no pescoço, e ouvir o tilintar dos brincos quando mexia com a cabeça.

Faça o possível. Poderia ser título de um livro de autoajuda.

Talvez fosse. Faça o possível e pronto. Se tudo era basicamente isso, fazer o possível enquanto possível, não? Assim como as formigas, que faziam o possível para encontrar migalhas sobre a mesa ou no chão, num apartamento que Alex fazia o possível para manter limpo.

Assim como Max, que fazia o possível para ser pai de todos os seus filhos.

Assim como os times medíocres de basquete e os trompetistas que nunca seriam ninguém.

David foi buscar Alex em casa e passou o braço por dentro do seu, como naquele dia depois da pizzaria.

A rua era deles. Duas pessoas andando de braços dados a caminho do metrô. Na rua que era deles havia carros, motos, pedestres, ciclistas e cachorros. Passarinhos em rasantes sobre pedaços de lixo. Que importava aonde aquilo tudo ia chegar? Se de todo modo novecentos mil quilômetros cúbicos de gelo vinham desaparecendo a cada ano do Ártico. De um jeito ou de outro estavam condenados, Alex pensou. Indo para o brejo. O brejo seria quente e sem tevês de plasma.

Assim, era o contato do seu braço com o braço de David que importava agora.

E agora já não havia aquele tatear experimental, aquela cerimônia inicial toda, na proximidade física: eles tinham fincado suas bandeirinhas no solo lunar, eram astronautas profissionais. A outra pessoa fica tão longe e tão perto, dependendo apenas dos acordos que se firmam. Você pode esticar o dedo e tocar a lua.

Antes, na noite da pizzaria, David tinha dito basta eu passar umas horas com vocês, isso vai ser ótimo.

Eles entraram juntos no vagão do metrô. Que também era deles. Assim como a rua, assim como tudo mais.

Você está vivo, Lisa disse, involuntariamente irônica, ao telefonar para David. Vi aqui que ligou outro dia. Por que não deixou recado?

Não queria te incomodar. Não era nada importante.

Como você está?

Bem. E você?

Tudo bem também, Lisa respondeu.

Eu te liguei outro dia porque tinha acordado pensando no Oscar.

Mesmo? Por quê?

Por nada. Me lembrei dele, do último dia. A barra de chocolate e tudo mais.

Você sente saudades dele?

Sinto.

E de mim?

Também sinto.

Mas agora é tarde demais, ela disse.

É, eu sei.

O que você sabe?

Que agora é tarde demais.

Alguém te contou que eu vou me casar?

Não.

Pois é.

Parabéns.

Obrigada. Vai ser na primavera.

Tenho certeza de que vocês vão ser muito felizes.

Eu gostaria de te convidar para o casamento.

Claro.

Mas acho melhor não.

É. Também acho melhor não.

Lisa contou então a David que tinha conseguido um papel num musical. Ele disse que ficava feliz por ela, e era verdade. Ela lhe perguntou pelo trabalho e ele falou que tinha pedido demissão. Até que enfim! ela disse, e ele estava procurando então alguma coisa melhor?

Estou dando um tempo, ele falou. Vou fazer uma viagem.

David, David, ela estalou a língua. Não jogue sua vida fora.

Não, não se preocupe. Está tudo sob controle. Na verdade está tudo ótimo, estou bem mesmo.

Conversaram por mais cinco minutos, durante os quais ela lhe contou do musical, descreveu exatamente o que fazia, disse quando estreavam e, claro, que podia lhe arranjar um ingresso se ele estivesse interessado. Em seguida pediu desculpas mas tinha que se preparar para o ensaio.

David falou que tinha sido bom falar com ela e saber notícias. E era verdade.

E era verdade também que as saudades que sentia de Lisa agora eram como as que teria sentido de uma irmã mais nova. Tranquilizava-o saber que ela estava bem. Naquela falta de vínculos de David, naquela sua história rala de familiares, ela acabava virando parente, e Trung já era quase isso também, como Bob, seu ex-supervisor na loja de materiais de construção, tinha sido. E o cachorro Oscar. E até mesmo Huong e Linh, a essa altura.

Já Alex. Alex havia se tornado a sua alegria, em tão pouco tempo. Os dias tinham passado a ser contagem regressiva até o momento de vê-la. David pensava em duas crianças correndo e dando um encontrão uma na outra. Duas crianças dando um encontrão uma na outra, levando um susto, e depois se acabando de rir.

Nos dias em que estava se sentindo melhor, ele às vezes ia com Alex visitar Trung na parte da manhã, agora que ela estava de férias da faculdade. Conversavam. Às vezes ele ia para o mercado de tarde ajudá-la um pouco. Claro que se cansava com facilidade e ainda estava aprendendo a lidar com isso — o que era um aprendizado cem por cento inútil, porque ele sabia que, quando começava a se acostumar com um novo padrão do seu corpo, o padrão já não era mais aquele. Cheio de surpresas, o seu novo corpo.

Era preciso aprender e esquecer, simultaneamente. Aprender cada vez menos, esquecer cada vez mais.

Quando visitavam Trung, a mãe e a avó de Alex preparavam comida. Uma quantidade enorme de comida vietnamita.

Sentavam-se todos à mesa e às vezes brincavam de trocar nomes em português e vietnamita. Batata por *khoai tây*. Arroz por *cơm*.

Não tem nada para você em Hanói, disse-lhe Huong, certo dia depois do almoço.

Os dois estavam sentados nos degraus da varanda, à sombra das bétulas que cresciam em frente às casas geminadas. A casa de Trung era a número dois de uma série de cinco, enfileiradas como velhos soldados que ainda não tinham perdido o hábito da posição de sentido mesmo quando não havia comandante algum supervisionando a tropa. Soldados com olhos embaçados, rugas no rosto e tufos de cabelo nas orelhas.

Não tem muita coisa para mim aqui, ele respondeu.

Tem Alex aqui, Huong disse.

Dentro de casa, Trung cochilava num quarto, Linh cochilava no outro. Alex arrumava a cozinha.

Hanói não é o que você imagina, disse Huong. Você ouve minha mãe falar com toda essa empolgação, com todo esse amor, mas faz sessenta anos que ela deixou Hanói. Era tudo muito diferente. Tenho conhecidos que estiveram lá faz pouco tempo. Hoje é uma cidade confusa. Cresceu demais, há muita gente. Motos por toda parte. Não é um lugar para você visitar nas suas condições.

David olhou para ela. Para a sua saia florida de malha. Para o seu cabelo escuro e liso preso num coque.

Talvez seja o melhor lugar para eu visitar, nas minhas condições. É o que eu queria, Huong.

Então leve Alex com você. Eu e minha mãe ficamos com o Bruno. Vocês vão, passam uma semana ou duas por lá e voltam. Eu tenho um dinheiro guardado, posso ajudar a pagar. Vocês podem passear, vão até a baía de Ha Long, veem as ilhas.

David não respondeu. O que responder?

Huong brincava com a barra da saia, tapando a metade de seus pés descalços.

Você não é músico?

Não sou profissional. Tinha uma banda, mas nos separamos faz alguns meses. Nunca vivi disso. Eu tinha um emprego numa loja de materiais de construção.

Os dois ficaram em silêncio por um instante.

A verdade, Huong, é que Alex não estava nos meus planos, ele disse, olhando para as próprias mãos. Mas a responsabilidade é toda minha, porque fui vê-la no trabalho uma porção de vezes e puxei conversa. Deixei meu telefone, disse para ela passar lá em casa porque eu estava me desfazendo das minhas coisas. Um idiota.

Não diga bobagem.

Não, a verdade é que eu devia estar sozinho. A verdade é que foi de um egoísmo imenso ter me envolvido com alguém nesta situação.

Como se essas coisas pudessem ser planejadas, disse Huong.

Ouviram o ruído de Alex lavando as panelas.

Ao contrário, Huong continuou. Se quer saber, acho que você devia estar tudo menos sozinho. Devia voltar a tocar. Com os outros músicos da sua banda.

Já não sei se tenho condições de tocar com uma banda.

Eu gostaria de ouvir você tocar.

Posso tocar para você, se quiser.

Não, eu quero dizer num palco. Tocar de verdade.

Desculpe. Acho que não vai ser possível.

E você acha que não consegue tocar num palco mas vai conseguir fazer uma viagem até o Vietnã?

O que Huong não entendia era que David tinha começado a pensar em Hanói como uma espécie de cemitério de elefantes. E para o cemitério os elefantes vão sozinhos. As pessoas vão sozinhas para a sua própria morte. Ninguém morre acompanhado.

Ou não era nada disso? Será que ele tinha certeza?

Mas, do contrário, o que era Hanói, então?

Será que em Hanói, um lugar tão estrangeiro para ele, a morte ficaria detida na fronteira? Será que tudo ali seria tão diferente e novo que ele também poderia ser diferente e novo, recomeçar, ressuscitar ao terceiro dia?

Hanói é uma ideia sua, Huong disse, como se ele tivesse feito todas aquelas perguntas em voz alta. É uma ideia, ela falou. Alguma coisa que você imaginou. O que você está querendo não existe. Me desculpe por dizer isso.

5

O rádio-relógio fazia companhia a David enquanto ele preparava um café. Tinha colocado o aparelho ao lado da pia da cozinha, e na WDCB Ahmad Jamal tocava "Time On My Hands" com Israel Crosby e Vernel Fournier.

O jornal dizia que no Vietnã a extinção dos elefantes era iminente. Num parque na província de Dak Lak, vinte e nove elefantes viviam sob proteção de um instituto, mas dois deles tinham sido encontrados mortos semanas antes. Inclusive o único macho, o que decretava a impossibilidade de sobrevivência da manada. Nas ruas de Beijing, dizia o jornal, meio quilo de marfim era negociado a mil dólares.

David lia a notícia e pensava nos elefantes do Vietnã, nos heroicos elefantes do Vietnã, que percorriam aos milhares as florestas décadas antes, na época de Linh e Huong, e cuja população tinha sido reduzida a umas poucas dezenas de animais.

Ahmad Jamal deu lugar a Cal Tjader com "Cuchy Frito Man". E depois ao "Samba triste" de Baden Powell e Billy Blanco, na gravação de Jackie & Roy.

Alex chegou pouco depois, trazendo Bruno e doces.

Trung resolveu que vai fechar o mercado, ela disse.

Tinham dito no hospital que Trung precisaria ficar seis semanas em casa. De molho. O trabalho teria que esperar. Então ele decidiu que o trabalho esperaria para sempre. Huong e Linh iam levá-lo embora, embora para casa, finalmente — a casa delas. Cumprindo a profecia de duas décadas antes.

Era o caso de dizer, talvez, até que enfim? Alex se perguntava. Depois de todas as coisas, no fim da linha, quando a vida parecia que já tinha esgotado os seus eventos, ficava a terra prometida. Ficava a terra pura, discreta de um modo que teria sido impossível imaginar antes. A felicidade não era ruidosa nem saía em capa de revista.

A vizinha de Huong e Linh cuidava do jardim na ausência delas. Telefonava regularmente para saber notícias do amigo vietnamita de suas vizinhas vietnamitas. Se ele estava fora de perigo. Se já tinha tido alta. Se estava se recuperando.

Huong não sabia muito bem se existia isso de estar fora de perigo. Esse lugar calafetado, protegido de tudo. Mas finalmente contou à vizinha, um dia, que Trung ia com elas quando voltassem. Depois de tantas migrações internas e externas, de tantas travessias, bastavam agora umas poucas horas de ônibus e podiam enfim se acomodar.

Na casa onde moravam duas pessoas, morariam três. Onde comiam duas bocas, comeriam três.

O mercado deixaria de existir. Alex procuraria um novo emprego. Seria tudo.

Ela abriu a caixa de doces. Ofereceu a David.

Quem sabe mais tarde, ele disse.

Estava quente e já fazia sentido ir à praia. Em Hartigan Park, por exemplo, pegando a linha vermelha do metrô ali na estação Lawrence e descendo em Loyola.

Depois de meses e meses, o sol sobre a pele era bom. A areia sob os pés era boa. Chicago não era Antigua nem nada do tipo, e o lago Michigan não era o mar do Caribe, mas aos três era possível se divertir muito ali em Hartigan mesmo.

David se surpreendeu ruminando por alguns instantes o pensamento clássico: e se tivesse conhecido Alex seis anos atrás. Antes do técnico de basquete. Mas então Bruno nem existiria, e ele próprio e Alex seriam outras pessoas. Dificilmente estariam ali naquela pequena praia à beira de um lago, naquele momento.

Claro que era pura especulação imaginar onde mais poderiam estar. Qualquer lugar do mundo faria sentido. O futuro tinha se estilhaçado com tantas possibilidades a cada passo que eles haviam dado ou evitado. A cada cinco minutos a mais ou a menos que tinham dormido, a cada jornal lido e a cada telefonema ignorado.

Poderiam estar até mesmo em Antigua, agora, tomando banho no mar do Caribe. Poderiam inclusive não estar mais em lugar algum. De modo que a única verdadeira garantia de estarem os três ali juntos agora era que tudo tivesse acontecido exatamente como tinha acontecido.

David largou o assunto. Esse tipo de exercício mental, além de inútil, era para ele cada vez mais difícil. Curiosamente, era como se o seu cérebro estivesse de certa forma se simplificando. Como se o seu cérebro, ao estilo Miles Davis, estivesse pedindo silêncio. *Shhh.*

Entrou na água com Bruno e com Alex. Era incrível, ele pensava, que aquela mulher pequena e jovem fosse a mãe daquele menino que nadava ao redor deles com centelhas de alegria nos olhos, no sorriso. Bruno tinha se transformado num submarino com boias de braço e um snorkel transparente espetado na superfície. Mais parecia o meio-irmão de Alex.

Você poderia me fazer um favor? ela perguntou a David. Só um. Prometo que nunca mais te peço nada.

David olhou para ela. Esperou para ouvir qual seria o pedido. Desconfiava que talvez chegasse o momento em que a sua determinação de estar sozinho, de viajar sozinho, de *terminar sozinho,* fosse desmanchar como uma falsa nuvem de chuva num céu de deserto. Temia que isso acontecesse. Temia que Alex ganhasse essa dimensão, que seu plano originalmente simples virasse uma história de amor com final infeliz. Um drama de cinema. Não era bom. Não era o que ele queria.

Se você resolver que vai mesmo viajar, Alex disse, por favor não vá logo. Espere mais um pouco. Dois ou três meses? Você acha que poderia esperar dois ou três meses?

O submarino rondava a mãe e o amigo dela. A ponta do snorkel transparente deslizava num círculo ao redor deles.

Era o pedido que ela nunca tinha feito a Max: a brava aceitação de que gostaria de estar ao seu lado, o pedido fique comigo.

Não era nem tão difícil de fazer, esse pedido, agora que experimentava. Essa confissão de que não era autossuficiente — não em tudo, não sempre. Mas também era o mais extremo dos riscos, porque ele podia dizer que não, e então como seria, e porque ele podia dizer que sim, e então como seria.

Bruno colocou a cabeça para fora d'água. O cabelo molhado e os óculos de mergulho. Escoltado por duas boias amarelas. Tirou o snorkel da boca e disse estou com fome.

De volta ao apartamento, mais tarde, ele cantava no chuveiro enquanto Alex o ajudava no banho. Quando ela desligou o chuveiro, ele escapuliu do banheiro molhado e nu. Alex correu atrás dele pelos dois cômodos, e acabou capturando-o com a toalha.

Não faça mais isso. Você molhou o chão todo.

Ele ria às gargalhadas e David assistia, curioso diante daquela relação, a mãe e o filho pequeno.

Ele não sabia muito bem o que era aquilo. Parecia um outro país. Tudo o que ele sabia desse assunto tinha a ver com Guadalupe e com sua própria vida de menino, e já era tão distante. E ele nunca tinha sido espectador de si mesmo.

Meia hora depois, Bruno cochilava na frente da tevê, a sua nova tevê, que era a velha tevê de David e tinha encontrado um lugar ali na sala. Bruno havia construído um forte com almofadas e travesseiros e estava deitado por cima como o enorme dragão na capa do livro se deitava sobre seu butim de ouro e joias. Formigas carregavam pedaços de folhas dentro da tela da tevê, formigas diligentes e nervosas.

David desligou a tevê e levou Alex para o quarto, pela mão. Trancou a porta.

Ajoelhou-se na frente dela e abaixou sua calcinha e envolveu seu corpo com os braços. Encostou a testa em sua barriga.

Alex não olhou para os mapas celestes, de um lado, nem para a foto autografada do time de basquete, do outro. Na foto do time de basquete havia, para quem quisesse reparar, três homens com tatuagens nos braços. Uma dessas tatuagens era uma inscrição em latim. Um dos jogadores tinha *dreadlocks,* outro tinha cabelo moicano e mechas azuis.

Alex se deitou na cama, a boca de David entre suas pernas, e apoiou os pés nas costas dele. Sentiu cócegas e riu.

Mais tarde ele disse eu poderia viajar daqui a três meses. No outono. Mas você sabe que não posso esperar muito tempo.

Alex passou a mão pelos cabelos de David. Por seu rosto magro.

Eu sei. Acho que está bem assim, ela falou.

A dor parecia mais forte do que nunca. Veio de madrugada, quando não havia mais do que uma mínima sugestão de luz no seu quarto. David estava sozinho, como queria. Certo? Não era o que ele queria?

Levantou-se para pegar o analgésico. Suava frio. A náusea agarrou seu estômago e ele vomitou ajoelhado diante do vaso, no banheiro do seu apartamento já quase vazio.

Alex não estava, nem Bruno, nem Trung ou Huong ou Linh. Seus amigos músicos não estavam. Lisa não estava. Bob e seus antigos colegas de trabalho não estavam. Os escritores famosos que haviam autografado livros para ele quando trabalhava na livraria em Gold Coast, a garota radiante da tribo indígena canadense. Luiz. Guadalupe. Seus primos. Miles Davis, Louis Armstrong e Dizzie Gillespie não estavam. Christian Scott. Nem mesmo seu trompete estava ali com ele.

Era somente a dor vertiginosa, a vontade de descolar a cabeça do resto do corpo e atirá-la pela janela, como Lisa tinha feito com o trompete. A dor e a cerâmica do vaso sanitário e a água boiando ali, a água sempre voltando a boiar ali educadamente todas as vezes que ele dava descarga. Seu estômago cuspindo o que houvesse para cuspir e o que não houvesse. A nata de suor frio na testa, nas mãos.

Era extraordinário como a dor simplificava as coisas.

Ele tomou o analgésico quando conseguiu parar de vomitar, e foi se deitar de novo.

Pensou em conchas.

Pensou no que estariam fazendo todas aquelas pessoas em Capitão Andrade, as pessoas que tinham visto Luiz ir embora décadas antes, naquela leva contínua de romeiros escorrendo hemisfério acima.

Perguntou-se onde estaria o piano da avó de Guadalupe, em Hermosillo.

Pensou em Cuauhtémoc e seus pés queimando sob orientação de Hernán Cortés. E no coração dos espanhóis prisioneiros, arrancados de seus corpos em altares sacrificiais antes da queda da capital do império asteca.

Pensou no cachorro Oscar e no chocolate do seu último dia.

Deixou que os pensamentos fossem saindo uns de dentro dos outros como as salas de um imenso museu, até sobrar somente o cansaço.

O mundo parecia líquido enquanto ele caminhava até o mercado a fim de encontrar Alex, de tarde.

Às vezes era assim: a dor ia embora e deixava uma estranheza em seu lugar. A dor sacudia o mundo pelos ombros, e o mundo depois ficava tonto. Desconcertado.

Era como se os métodos que David tinha para reconhecer as coisas ao seu redor estivessem se alterando. O idioma que as pessoas falavam ao seu redor estava se alterando. Até mesmo o olhar dos bichos, o olhar dos cachorros, dos gatos e dos pombos.

Em breve iam se completar dois meses daquela primeira manhã com o oncologista e seu elefante verde de pedra, o garoto ao piano na rua, a garçonete lhe recomendando o prato do lenhador no café.

Dois meses que tinha entrado no mercado asiático de Trung pela primeira vez e trocado algumas palavras com a garota de expressão cansada no caixa.

Era um clichê, ele sabia, mas parecia uma eternidade. Curioso pensar nesses termos. *Uma eternidade.*

Alex olhou para ele e entendeu de imediato: um dia ruim, ela disse.

Ele não respondeu. Não precisava.

Você devia ter me ligado.

Acho que devia. Mas agora estou um pouco melhor.

David foi para a salinha de Trung nos fundos do mercado, onde Quan Âm ouvia canções, o tráfego, os aviões decolando, gritos de dor nas cidades devastadas pela guerra, exclamações de alegria nos parques de diversão, ordens ditadas e pedidos sussurrados, hinos, segredos telefônicos, professores explicando um tópico particularmente difícil, fogos de artifício.

Trung havia pedido que a levassem para casa. David e Alex tiraram a estatueta branca de cerâmica do altar e a embrulharam em folhas de jornal, e aos outros objetos sobre o altar também. Colocaram tudo dentro de um saco de plástico (as palavras THANK YOU THANK YOU THANK YOU impressas em três tons de vermelho). Quan Âm também estava se aposentando.

O carro de Max tinha garrafas de plástico vazias no banco de trás. Uma toalha, papéis. Aquele mesmo cheiro de umidade. Como se o carro tivesse sido congelado durante os últimos anos e estivesse do mesmo exato jeito que estava da última vez que Alex havia entrado ali.

Desculpe a bagunça, ele disse.

Eu me lembro da bagunça, ela disse, e se arrependeu. Não era para entrar naquela seara. Do que se lembrava ou não.

Foram até Montrose Beach. Estacionaram e procuraram uma sombra onde se sentar.

Treinando muito? ela perguntou. Para a maratona?

É o que mais tenho feito.

Quando é mesmo?

Outubro. E você, imagino que de férias da faculdade.

É, estou de férias da faculdade.

Verão, Max disse, por dizer.

Verão, Alex repetiu.

Um patinador passou por eles, todo pernas elásticas dentro de uma bermuda de lycra. Veloz, deslizando com tanta facilidade. Os fios de seus fones de ouvido esvoaçavam feito asas atrás dele.

Alex suspirou.

Obrigada por ter vindo me ver. Eu te liguei porque queria falar do David. Que você conheceu lá em casa recentemente.

Max olhou para ela em silêncio.

Ele está muito doente, Alex falou.

O que ele tem?

Um tipo de câncer. Dos mais agressivos que existem.

Onde?

Ela não se deu conta de que imitava o gesto de David semanas antes, batendo com o indicador na lateral da cabeça. Deu dois tapinhas ali, de leve, e ouviu a percussão dentro de seu crânio saudável, brilhante, recheado de astrofísica. Tuc tuc.

Tem tratamento?

Paliativo. Ele fez radioterapia. Parece que não dá para operar, e os médicos não recomendaram a quimioterapia. Porque tem efeitos colaterais ruins demais, e ele tem pouco tempo, e isso ia estragar esse pouco tempo.

Então não tem cura.

Segundo os médicos.

Quanto tempo, ainda?

Quatro meses. Três.

Puta merda. Tão pouco assim. O que você vai fazer?

O que você espera que eu faça?

Não sei.

Ele meteu na cabeça que vai viajar.

Para onde.

Você não vai acreditar. Ele resolveu que vai para Hanói.

Hanói? No Vietnã? Max exclamou. Mas o que ele vai fazer lá?

Morrer.

Você está falando sério?

Estou, Alex disse.

É a ideia mais absurda que eu já ouvi. Por que é que ele vai morrer no Vietnã? Ele conhece gente lá?

Não. Só teve essa ideia, colocou isso na cabeça. Isso de ir embora.

Ela suspirou de novo.

Mas é claro que isso não vai acontecer, Max. Você consegue imaginar? Um cara doente, como ele, com uma porcaria de um câncer em estágio avançado, se metendo num avião por sei lá quantas horas, vinte? E chegando a um país estranho cuja língua não entende e onde não conhece absolutamente ninguém?

Alex olhou para ele.

A ideia é absurda, Max disse. Quer dizer, de vez em quando a gente escuta falar de uma história como essa, alguém que descobriu que ia morrer e foi, sei lá, passar os últimos dias andando de moto por aí. Ou decidiu fazer uma viagem. Reencontrar os pais.

Ele estendeu as mãos, palmas voltadas para cima, como se pudessem lhe oferecer alguma resposta à pergunta que ainda não tinha elaborado.

Nem sei o que eu faria numa situação como essa, ele disse.

O David vai piorar muito depressa, Alex falou. Não vai dar tempo de ir para Hanói nem para nenhum outro lugar.

Ainda bem. Quer dizer, não, ainda bem não. Claro. Não foi isso que eu quis dizer.

Eu sei o que você quis dizer. Não se preocupe.

Max olhava para Alex, Alex olhava para o lago.

Ele vai se mudar para o meu apartamento no fim do mês. Vai morar comigo e com o Bruno. Foi por isso que eu te liguei.

Max franziu a testa.

Você tem certeza de que ele está doente, Alex?

Como assim?

Sei lá. A gente vê todo tipo de golpe por aí. Todo tipo de aproveitador neste mundo.

Claro que ele está doente.

Você viu os exames.

Eu vi os exames, Max. E vi David passando muito mal também.

Ele devia procurar outros tratamentos.

É o que eu faria, e já disse isso a ele. Procuraria todos os tratamentos disponíveis no mundo. Tudo que houvesse.

Quem sabe você ainda convence ele. Porque mesmo que não tenha cura, dá para viver um pouco mais. Quem sabe. A gente ouve histórias. Até os médicos às vezes se surpreendem.

Eu sei.

Ele tem família por aqui?

Não.

Onde está a família?

Em lugar nenhum. Os pais já morreram, ele não tem irmãos. Tem uns primos por aí, noutros estados, mas eles mal se falam. E o resto da família está no México ou no Brasil. De todo modo, quase ninguém que ele conheça pessoalmente.

Passou por eles uma senhora de cabelos inteiramente brancos, apoiada num andador, vestindo um conjunto de malha cor-de-rosa. Vinha acompanhada por uma enfermeira de uniforme. A senhora de cabelos brancos sorriu para Alex e Max ao passar. A enfermeira de uniforme consultou o relógio.

Escute, Max, vai ficar tudo bem comigo. Quer dizer, não vai ficar, mas vai ficar, porque sempre fica. Você sabe que sempre fica.

Silêncio.

E agora é por David, Max disse.

Para que ele tenha um pouco de companhia, comigo e com o Bruno, pelo menos. Se não der para fazer mais nada por ele, que a gente possa fazer pelo menos isso.

Silêncio.

A vida é muito estranha, Max disse. Você já parou para pensar nisso? Em como a vida é estranha? Alguma coisa aconteceu do jeito que você planejou?

Vamos caminhar um pouco? Alex pediu.

Caminharam durante vinte minutos, falando pouco. O verão que começava. Bruno na escola. Como se treina para uma maratona e o que exatamente acontece com o corpo humano quando o obrigam a correr quarenta e dois quilômetros. Como é que se faz para adestrá-lo. Para fazê-lo acreditar que é capaz.

Depois voltaram ao carro de Max (garrafas de plástico vazias no banco de trás, uma toalha, papéis, o mesmo cheiro de umidade) e ele a deixou na esquina do mercado.

Antes de descer do carro, Alex disse você pode ver o Bruno normalmente. Quero dizer que não é porque o David vai estar lá em casa que. Você sabe.

A pesquisa revelava que quarenta por cento dos pacientes com um tumor cerebral se tratavam com métodos considerados alternativos, além do tratamento convencional. Uma busca de alguns poucos minutos na web revelava uma quantidade incrível desses métodos.

A dieta de Budwig. Camu camu. Clorofila. Extrato purificado de soro de leite coalhado. Coentro. Sais de banho Epsom. A terapia de Gerson. A fórmula de Hoxsey. O método Banerji. O chá de Jason Winters. Aromaterapia. Vitamina B17. Própolis, melatonina, oleandro, cúrcuma.

Tudo bem, Alex pensou, vou encher a casa de chás, extratos, soros e ervas. Vou tentar conseguir o remédio tibetano, esse tal Dracocephalum tanguticum. Vou preparar uma dessas dietas para ele. Qualquer coisa.

* * *

Na rua, pelos fones de ouvido de David chegava o *Radio Music Society* de Esperanza Spalding. Ele tinha saído para dar uma volta. Não tinha aonde ir, o que fazer, comprar, decidir, esperar. Estava tocando "Radio Song", que lhe dava um ritmo interessante para caminhar.

O velho com o boné do Coliseu lia o jornal num banco do Buttercup Park, como antes. Acenou para David, de longe.

David se aproximou e tirou os fones. O velho colocou o jornal dobrado sobre os joelhos.

Novidades? perguntou.

Não, David respondeu. E você?

Ah, mas escute, não estou mais esperando nenhuma novidade.

David se sentou ao lado dele.

Para ser honesto tenho uma novidade, falou. Estou me mudando para o apartamento da minha namorada.

É uma boa novidade. E como você tem estado de saúde?

Uns dias são bem ruins. Outros nem tanto. Às vezes eu fico meio confuso. Começaram a aparecer esses pontos pretos na minha visão. Mas tudo isso já era esperado.

Xavier (o velho com o boné do Coliseu estendeu a mão).

David.

Aquele é o Django, Xavier disse, apontando com o queixo para o cachorro deitado no gramado.

O guitarrista ou o faroeste espaguete?

Faroeste espaguete?

Django. É o nome de um filme antigo, um faroeste italiano.

Não conheço. No caso do cachorro é por causa do guitarrista. Eu toquei violão durante cinquenta anos e às vezes imaginava que o grande Django Reinhardt estava na plateia. Ele não podia estar, porque já tinha morrido, mas mesmo assim. Era uma inspiração. Você sabe?

Claro. Claro que sei.

Django perdeu o uso de dois dedos da mão esquerda quando tinha dezoito anos. A história é conhecida, mas eu sempre fico impressionado. Dois dedos da mão esquerda. Um incêndio na caravana — você sabe que ele era cigano. E ainda assim o cara era aquele instrumentista fenomenal que ele era.

Vou trazer meu trompete para tocarmos juntos.

Sinto muito, meu amigo, mas não toco mais.

Bobagem. Quem tocou um instrumento durante cinquenta anos não pode dizer que não toca mais. Você só tirou umas férias.

Xavier deu uma risada curta.

Não foram só umas férias, ele disse.

Você ainda tem um violão? David perguntou.

Está encostado em algum canto, não tem mais cordas nem nada. Sei lá o estado dele.

A questão das cordas é fácil de resolver. Aço ou nylon?

Nylon, o que tenho lá em casa. Não é grande coisa. Eu preferia o de cordas de aço, esse sim era bom. Mas vendi faz tempo. Estava precisando de um dinheiro, e aí você sabe. Mas foi muito ruim. Foi como vender um membro da minha família.

Em casa, David pediu desculpas aos vizinhos por não ajudá-los a levar a mesa, as cadeiras e o sofá.

Distendi o músculo do braço hoje de manhã, ele disse.

Fez um gesto curto com o braço e uma careta, para ilustrar a mentira.

Ele sabia que as depressões no carpete onde antes os móveis haviam estado sumiriam com o tempo. O chão ganharia outras marcas com os outros móveis dos novos moradores.

Quem seriam os novos moradores? Ele fantasiou músicos. Quem sabe o apartamento ganhava uma bateria ou mesmo um piano. Alguém tocaria "Palhaço" de Egberto Gismonti no piano, com um saxofonista convidado. A música chegaria até o apartamento de Teresa, até o apartamento de Douglas, até a rua, e as pessoas sorririam satisfeitas porque há momentos assim, e a Quan Âm de Trung, mesmo aposentada e mesmo morando noutra cidade, ouviria também.

Será que Quan Âm tinha preferências musicais? Será que ela ia fechar de todo os seus olhos de cerâmica e sorrir ao ouvir "Palhaço" vazando pelas janelas e pelas frestas da porta do antigo apartamento de David?

Talvez sim, e pensaria, como o ex-morador, naquele capitão-andradense que nada entendia de música e nunca tinha ouvido falar em Egberto Gismonti, embora tivessem nascido no mesmo país.

Parecia que o plano original de David estava perto de se concluir. Em seu quarto, a cama iria embora na segunda-feira, doada para a Brown Elephant. Ele pegou tudo que ainda havia na cozinha e colocou dentro de sacos de lixo, que entregou a Teresa. Pacotes de macarrão e açúcar pela metade. Filtros de café. Um saco quase cheio de batatas fritas. Uma caixa do adoçante artificial de Lisa, que ela havia esquecido no fundo do armário da cozinha.

Dê um jeito nisso para mim, por favor, ele pediu a Teresa. Aproveite o que der para aproveitar.

Ela o abraçou e disse o que você tem? Está mais magro.

Não, eu acho que é impressão sua.

Não é impressão minha. Você está mais magro.

É, pode até ser. Nem reparei.

Vi a garota outro dia, a garota oriental. Com o menininho. É filho dela?

Ah, sim. Alex. O menininho é filho dela.

Ela vai com você?

O quê?

Na mudança. Para Nova Orleans.

Ah, não, não. Ela não vai comigo.

Venha se despedir quando for embora.

Claro, ele disse, sabendo que não iria.

Traz a garota. Alex, não é? O filho dela vai gostar de ver o aquário. Eu faço um bolo e um café, a gente lancha juntos.

Não dava para incluir despedidas no seu plano, David sabia. Haveria lágrimas e afins e — não, melhor não.

Dentro do aquário, os peixes não olhavam para ele nem para Teresa.

David voltou para o seu apartamento já praticamente vazio, sentou-se no chão da sala, de frente para a janela.

Existia agora nele uma vontade de ir mesmo embora dali, já, e para sempre. O apartamento mais parecia uma longa história que alguém estivesse contando mas que ele já tivesse ouvido antes, estando portanto a par de todos os detalhes, e era entediante continuar escutando.

Tirou o trompete do estojo. Tocou algumas notas, uma melodia qualquer, mas não avançou. A música estava emperrada nele, naquele momento.

Saiu de casa e foi para a loja de instrumentos musicais comprar um jogo de cordas de nylon para violão.

Depois foi para o mercado de Trung. O patrão havia estado ali mais cedo e feito uma reunião com seus funcionários, comunicando-lhes quais eram seus planos.

Eu não sabia que seria tudo tão rápido, David disse.

Bem, o processo todo leva algum tempo, Alex falou. Mas é preciso começar daí. Avisando os funcionários.

Alex prepararia um aviso comunicando também aos clientes o fechamento do mercado. Os produtos entrariam em promoção. Cartazes em cores chamativas anunciariam os cortes. O estoque ia diminuir e diminuir ainda mais, sem ser reposto — os bolos da Mai's Bakery e da Yen Huong Bakery, os pacotes e mais pacotes de macarrão de arroz, o chá de ginseng para perda de peso. Os pacotes de sementes de urucum.

O mercado, afinal, também estava se aposentando, em solidariedade a Trung. Que em breve seria apresentado à sua nova vizinha, na pequena cidade de quinze mil habitantes: a viúva de um veterano da Guerra do Vietnã (da Guerra Americana).

E ninguém ficaria sabendo o que ele ia pensar ao ver as fotografias nas paredes da sala de sua nova vizinha. Ou, antes, Linh e Huong ficariam sabendo. Mas nenhum dos três diria uma única palavra sobre o assunto.

A primeira vez que vi sua mãe foi num ônibus, Luiz havia contado a David certa vez. Não fazia muito tempo que eu tinha chegado neste país, e achava tudo estranho. Achava a comida estranha. Dormia mal à noite, e tinha pesadelos. Até que um dia bem cedo, quando estava indo trabalhar, vi sua mãe no ônibus. Fazia um frio de rachar, e um solzinho de nada brilhava, um solzinho sem forças. O assento ao lado dela estava vazio, como se fosse o meu destino me chamando. Não sei nem por que ela olhou para mim, aquela mulher tão linda, quando resolvi puxar conversa, com a meia dúzia de frases que sabia falar em inglês. *Good morning miss*, eu falei. *Cold today, yes?* e esfreguei as mãos. *I go work. You go work too?* Não sei por que ela resolveu ser gentil e ter boa vontade com os meus esforços.

E à boa vontade seguiu-se mais boa vontade, e Guadalupe concordou com trocas de telefones e com encontros nas semanas e meses seguintes e disse sim ao pedido de casamento que não tardou.

Luiz economizou o salário e comprou, de segunda mão, um anel de noivado. Ele não tinha ideia de que anéis de noivado pudessem ser tão caros.

Imaginou quem teria usado o anel antes e por que teria vendido. Melhor não saber. Não que ele acreditasse em sorte e azar. Mas de todo modo melhor não saber.

Alugaram a casa em Framingham. O anel de noivado ficava lindo na mão de Guadalupe. O diamante puxava a luz das coisas ao redor dela.

Sozinho no apartamento de Alex, que tinha ido com Bruno ao cinema, David se lembrou da história contada por seu pai, e sorriu. O salário economizado. Um anel de noivado de segunda mão, literalmente. O diamante puxando a luz das coisas ao redor de Guadalupe e concentrando tudo nela, a linda mexicana.

Ele não sabia muito bem quantos dias fazia que tinha ido morar ali. Estava um pouco difícil registrar de forma organizada a passagem do tempo.

Lendo o jornal, ele notava também que não apenas era difícil prestar atenção num texto (o que já vinha acontecendo fazia algum tempo e não era novidade) como agora de vez em quando topava com uma palavra cujo significado não sabia — embora *soubesse que sabia.*

Partes do seu cérebro estavam se desligando. Pegando o paletó nas costas da cadeira, apagando a luz e trancando a porta ao sair. Só que não iam voltar para o expediente no dia seguinte.

Era um domingo de julho. Mesmo com seu cérebro aos poucos entrando em férias coletivas, David agora se arrependia de não ter ido junto com Alex e Bruno. Não conseguia se lembrar da última vez que tinha ido ao cinema assistir a um desenho animado para crianças. Todo um universo que ele desconhecia. Decidiu preparar em troca alguma coisa para comerem. Achava que daria conta. Talvez desse conta.

Na mochila com suas roupas estava também seu passaporte, estalando de novo. Ele queria comprar sua passagem para Hanói. Ia comprar sua passagem para Hanói. Com algum esforço e concentração extra, talvez pudesse cuidar disso naquele dia mesmo.

Aumentou o volume quando John Abercrombie e Frank Haunschild começaram a tocar "Italian Ocean Song". O sol do fim da tarde batia no chão da sala e trepava por um pedaço da mesa. Era possível tentar colocar em palavras — e era o que os críticos faziam — as impressões que vinham de uma determinada música. Era possível tentar, quase sempre impossível conseguir.

Por exemplo, a guitarra de Frank Haunschild e o violão de John Abercrombie em "Italian Ocean Song".

Aquilo era brilhante. Era belo e fascinante. Mas, se a arte melódica e harmônica e rítmica estava para além das palavras, como usá-las para representá-la? Era como tentar descrever um quadro. Um passo de dança. Por mais bem-sucedido que se fosse, a descrição seria sempre uma sombra magra da coisa em si.

Havia experiências assim na vida, ele pensou. Aquelas que você não conseguia embrulhar em ideias, não conseguia fisgar com a pinça de uma descrição bem delimitada e cheia de sentido, mesmo que o seu cérebro estivesse em plena atividade. Aquelas que você às vezes nem entendia muito bem. Que só aconteciam.

Eram as melhores, em geral. Eram as melhores de que conseguia se lembrar.

Ele não tinha ideia nem mesmo de como começar a procurar, então digitou no laptop — seu antigo laptop, aberto sobre a mesa da sala de Alex — passagens aéreas.

Podia ir por Seul, com a Asiana Airlines. Por Hong Kong, com a Cathay Pacific. Por San Francisco e Taipei, com a American Airlines e a EVA Air. Por Tóquio, com a ANA e a Vietnam Airlines.

O mundo era tão vasto. Tão incrivelmente vasto. Parecia mentira que se pudesse subir num avião em Chicago, descer na Coreia, embarcar uma segunda vez e chegar ao Vietnã. Quase desrespeitoso, não? Fazer pouco das distâncias desse jeito. Sobrevoar oceanos e cadeias de montanhas. Desembarcar em lugares onde era noite quando no seu ponto de partida era dia. Em lugares onde era amanhã ou ontem. O mundo era tão vasto.

Ele ainda podia ir mais longe. Continuar a pé, por exemplo, de Hanói até Jaipur. Quanto tempo levaria?

O Google Maps levou a pergunta a sério, com sua inocência de sempre, e lhe informou que levaria mil e cinquenta e seis horas.

Descreveu em quinhentas e trinta e duas etapas cada passo. Situava a partida no distrito de Hoàn Kiếm, em Hanói. E prosseguia, bem-intencionado: siga na direção de Hàng Quạt, na Cửa Hàng Ngọc Lâm sudoeste. Passe pela VanArtGallery (à direita em sessenta e cinco metros). Vire à esquerda na Hàng Gai. Continue seguindo pela Cầu Gỗ. Passe pelo hotel Mai Dza. Vire à direita na Hàng Dầu.

E assim continuava, levando o caminhante em certo momento a bordo de um ferryboat, depois conduzindo-o através da barriga do Vietnã e através do Laos, da Tailândia e de Myanmar, até entrar na Índia pelo nordeste.

David pensou no canadense que tinha completado a volta ao mundo a pé não fazia muito tempo. O ex-vendedor de luzes de neon Jean Béliveau. Saiu de casa, em Montreal, em agosto de 2000. Percorreu sessenta e quatro países e voltou onze anos mais tarde. Jean Béliveau tinha embarcado em aviões e navios quando não havia outro jeito — para ir de São Paulo à Cidade do Cabo, por exemplo.

Agora parecia a David fantástico poder imitar sua aventura. Tendo tempo a perder de vista, por que não percorrer o mundo a pé em vinte, trinta anos?

Atravessaria ainda mais países. Ficaria mais tempo em cada um deles. Aprenderia línguas. Arranjaria os trabalhos mais simples que houvesse para bancar sua subsistência. Tocaria com músicos do Paquistão, da Rússia, da Argentina. Seria uma pessoa mínima e sem chão, uma pessoa em trânsito. Quando quisessem saber dele, já teria ido embora. Seu rosto ficaria queimado de sol, às vezes de frio, e as rugas ao redor dos seus olhos fariam com que parecesse mais velho e mais sábio do que de fato era.

Levaria Alex e Bruno com ele. Bruno aprenderia sobre o mundo in loco: no mundo. Não na internet. Não na sala de aula. Não em livros. Nem mesmo em passeios turísticos, na segurança de um hotel, na previsibilidade fotogênica de férias bem planejadas.

Bruno jogaria futebol com monges budistas no Nepal. Em algum momento cairia de amores por alguém, talvez na Colômbia ou em Moçambique. Veria a coisa toda como ela era de fato: multicolorida, multifacetada, frequentemente absurda, às vezes violenta, não raro plácida como um lago no segundo antes de você atirar uma pedra. Expectante, o mundo. Vibrante. Cansado. Exausto. Doente.

* * *

Xavier estava no parque. Rapaz, eu fiquei preocupado com você, ele falou. Andou sumido. Já fiquei logo imaginando o pior — você sabe.

Não, eu ainda estou por aqui. O apartamento da minha namorada é um pouco mais longe, em Albany Park. Mas vamos tomar um café, eu pago.

Entregou-lhe as cordas para o violão.

Espero que sirvam.

Xavier chamou Django. O cachorro se levantou, quase que imediatamente arquejante, e os acompanhou até a porta do café. Ali, deitou-se de novo. Ele já tinha decorado havia muito o protocolo. Como fazer carreira como animal de companhia.

Hoje eu estava me lembrando da última vez que vi Miles Davis ao vivo, Xavier disse. Foi no Frost Amphitheater, em Stanford, junho de 1970. Antes de eu passar dois anos na Índia com o Peace Corps. Uma bela despedida.

Você estudou em Stanford.

Na minha encarnação passada.

Não cheguei a ver Miles ao vivo.

Não, é claro, você é jovem demais para isso. Eu me lembro que era uma noite quente de verão e havia um bocado de shorts e de blusas sexy. Os fãs tradicionais de jazz estavam um pouco desconcertados com o som dele. Não conseguiam entender. O pessoal mais jovem flutuava num paraíso de ácido e erva. Tínhamos tido semanas de confrontos com a polícia. A invasão do Camboja tinha acirrado os ânimos. Você nem sonhava em nascer. Eu tinha o cabelo até aqui.

Xavier derrubou uma quantidade razoável de açúcar em sua xícara de café e mexeu.

Eu me diplomei em história. Ferrei uma porção de coisas de lá para cá, ele disse.

Como foi na Índia?

Ah, a Índia. Conheci essa garota em Benares. Trouxe para Chicago. Foi um grande amor. Você está se tratando?

Fiz radioterapia por duas semanas.

Adiantou?

Um pouco, eles dizem. Mais ou menos o que era esperado. Vou trazer o meu trompete amanhã.

Depois de amanhã. Me dê um tempo para eu pelo menos desenferrujar um pouco.

Depois de amanhã. Às duas?

Violão acústico e trompete. Não é algo que a gente escute com frequência.

David pegou o mp3 player no bolso da calça, procurou alguma coisa ali. Entregou o pequeno aparelho e os fones a Xavier.

Ralph Towner e Paolo Fresu lançaram este álbum faz uns dois ou três anos. Amanhã você me devolve.

O bom e velho Ralph Towner.

Uma das faixas é "Blue in Green". De Miles. Ou de Bill Evans. Não sei. "Blue in Green", de *Kind of Blue.*

Claro, "Blue in Green". Mas acontece que eu não sei mexer nesse negócio.

Aqui você liga. Aqui é o play. Aqui você desliga.

E se eu quiser escutar de novo?

David mostrou como.

E se eu quiser escutar outras coisas? Posso escutar outras coisas?

David mostrou como.

No metrô, Bruno arrastava sua mochila de rodinhas. Dentro dela havia shorts, camisetas, cuecas, seu pijama com estampa de dinossauros azuis e os biscoitos que Alex tinha comprado para ele.

Bruno ficaria com as outras mulheres da família por alguns dias, agora que estava de férias da escola. Comeria pratos vietnamitas especiais e ouviria lendas vietnamitas especiais.

Ia escoltado por Alex de um lado, David do outro, e sorria.

Do que você está rindo, Alex lhe perguntou.

De um filme que está passando dentro da minha cabeça, ele disse.

David gostaria de dizer a Alex posso cuidar de Bruno à tarde, quando você estiver trabalhando, mas tinha fechado a boca antes mesmo de abrir.

As palavras que não disse olharam para ele como velhas sisudas e descontentes, de braços cruzados sobre o peito magro, prontas a aplicar o castigo apropriado ao menor deslize. Claro que ele não podia cuidar de Bruno, nem de ninguém.

Ele teria gostado de se tornar amigo de Bruno, criar algum tempo só dos dois. Não seria com uma bola de basquete, mas com algo que descobririam juntos, algum interesse comum. Deviam ter algum interesse comum, e se não tivessem inventariam.

Fica para a próxima, pensou. Na próxima, quem sabe Bruno até se interessava em começar a aprender trompete, lá pelos sete ou oito anos de idade (seria cedo demais? Com que idade as crianças podiam começar a aprender trompete?). Ou outro instrumento. David apoiaria qualquer um. À exceção da flauta doce. Poderia ficar ouvindo um violino desafinado ou um clarinete guinchando durante meses, durante anos, se fosse o caso. Beethoven, Beatles, bebop, estava tudo ótimo por ele. Bastava evitar a flauta doce.

O vagão do metrô raspava nos trilhos. David olhou lá para fora.

Na quarta-feira, a cidade e o resto do país comemorariam o dia da independência. Haveria festas, bandeiras e fogos de artifício.

Quando estavam vivos e juntos, Guadalupe e Luiz se uniam às comemorações. Para Luiz, nunca tinha ficado muito claro o que exatamente se comemorava, mas a independência era sempre algo louvável, ele pensava. No Brasil, por exemplo, um rei ou um príncipe, ele não sabia ao certo, tinha puxado a espada — que era sempre a coisa certa a se fazer nessas horas — e dito independência ou morte. Então ele ia ver os fogos de artifício no dia quatro de julho, e aquilo lhe enchia os olhos, aquela beleza de filme.

Segurava Guadalupe pela mão. Segurava David, ainda criança, pela mão. E quando olhava para os rostos felizes dos dois via pequenos fogos de artifício brilhando dentro dos seus olhos também.

Este aparelhinho é formidável, Xavier disse, quando se reencontraram no parque. E você tem um bocado de coisa boa aqui. Rapaz, eu vou te dizer.

Gostou mesmo?

Como assim? É claro que gostei! Fazia anos, vários anos, que eu não ouvia Sun Ra.

Então é seu.

Não, não, pare de ficar fazendo doações. Já chega as cordas que comprou. Você é uma instituição de caridade ou o quê?

Xavier. É sério.

Mas como você vai fazer para escutar a sua música?

Eu compro outro desses.

Mas e a música?

Eu posso colocar a música de novo nele. Não se preocupe.

Como assim, pode colocar a música de novo?

Não se preocupe. Fico feliz que você tenha trazido o violão.

Xavier empunhou o violão velho. Abriu um sorriso e tocou o trecho inicial de "Here Comes the Sun". Algumas pessoas que atravessavam o parque viraram a cabeça, depois seguiram o seu caminho. Xavier tocou então os acordes iniciais de "Little Wing". *Well she's walking through the clouds*, ele cantou, com sua voz rouca e meio desafinada, que não tinha nenhum traço de semelhança com a de Jimi Hendrix, mas ainda assim era boa de ouvir.

Django abriu os olhos, mas não levantou a cabeça.

David tirou o trompete do estojo. Tocou as primeiras notas de "Maiden Voyage".

Ah, mas que maravilha, Xavier disse. Sim, "Maiden Voyage"! Mas que maravilha.

Lá menor com sétima, baixo em ré, David disse, entre um sopro e outro.

Eu me lembro, Xavier disse. Eu ainda me lembro.

6

As ruas acordavam com as pessoas. As calçadas eram lavadas com baldes d'água e vassouras. Alto-falantes brotando dos postes despejavam uma sucessão interminável de palavras que Alex não entendia completamente. Seu domínio da língua não era perfeito. Não era nem mesmo tão bom quanto ela havia se acostumado a imaginar.

Estava na porta de seu hotel, chamado Sunshine Suites, na rua Mã Mây, em Hoàn Kiếm.

Era sua primeira manhã na cidade de Hanói.

Acordava com as ruas que acordavam com as pessoas que lavavam as calçadas. Não todas as pessoas. No pequeno saguão do hotel Sunshine Suites havia duas motos estacionadas (do lado de *dentro*) e dois funcionários dormindo no chão, tapados com cobertas.

A recepcionista estava atrás do balcão da recepção com olhos de sono, vestida com um *ao dai* azul-claro. Alex ia se acostumar a ver aquela cena todos os dias, se acordasse cedo o suficiente.

Eram sete horas e ela já sentia o cheiro de comida que passaria em breve a identificar com a cidade. Em Hanói as pessoas parecem comer o tempo todo, ela diria, mais tarde, aos curiosos.

Hoàn Kiếm, o bairro antigo, coalhado de turistas, era um lugar onde as pessoas de fora se perdiam, voluntária ou involuntariamente. Ela própria só passaria a identificar, com muito custo e após dias, algumas das ruas. Hàng Dầu, Hàng Bè, Hàng Bạc, Hàng Buồm, Hàng Giấy.

Saiu para se perder, voluntariamente, naquela primeira manhã.

Flores frescas. Sapatos. Frangos mortos e depenados, nacos de carne não identificáveis. Agências de turismo. Bicicletas. Galerias de arte vendendo reproduções de cartazes de antiga propaganda comunista (o significado dos gritos de guerra em vietnamita escrito ao lado, em inglês). Butiques luxuosas oferecendo *ao dai* de seda por preços ocidentalmente exorbitantes.

As motos já começando a enxamear — as motos, os milhões de motos de Hanói e suas buzinas.

Turistas de pele muito clara, parecendo sempre grandes demais e consultando guias de bolso enquanto olhavam ao redor numa nuvem de confusão e torpor. Pareciam perdidos no meio de uma floresta, tentando estabelecer o que era o norte, o sul, o leste e o oeste. Pareciam tentar atribuir um sentido àquilo que viam e que não fazia sentido. Nenhum.

Outros não, outros já conheciam Hanói.

Alguns conheciam bem Hanói, a cerveja leve de Hanói e as garotas de Hanói.

Alex parou ao lado de duas australianas com mochilas volumosas que pareciam não entender o mapa que tinham nas mãos, e ofereceu ajuda. Elas tentavam encontrar um hotel chamado Camellia.

Você é americana, uma delas confirmou, no caminho.

Sou. Minha avó e minha mãe são vietnamitas. Mas foram embora já faz muitos anos.

Você está só visitando, então.

É, estou só visitando.

Elas vieram? Sua avó e sua mãe?

Não, infelizmente não.

E por que não? Deviam ter vindo!

Elas não querem mais viajar.

Eu entendo. Às vezes para as pessoas mais velhas é mais difícil. Mas você fala vietnamita?

Não tão bem quanto eu achava.

É uma língua impossível. Difícil demais.

Alex riu. Você tem razão. Não é muito fácil.

O bom daqui é o preço. Treze dólares a diária, nesse hotel onde estamos nos hospedando, a outra australiana falou.

Ali do lado, o *ao dai* de seda para turistas custava duzentos.

Daqui vamos para o Camboja, disse a primeira australiana. Você já esteve no Camboja? Parece que é mais barato ainda.

Quando embarcaram em O'Hare, Chicago, dois dias antes, só havia um sentimento visivelmente maior do que a excitação de Bruno: o seu orgulho em segurar a mão de Max.

Os dois andavam assim pelo aeroporto, Max e ele, as mãos dadas, e era como se Bruno estivesse definindo o seu território, demarcando-o com firmeza e um olhar desafiador — não fossem outros meninos querer Max para pai. Era a sua vez, agora.

No compartimento principal de sua mochila azul e verde em formato de cachorro, ele levava novos lápis de cera e um bloco de desenho. A mochila também era nova. Os cartões de embarque eram novos, o passaporte era novo e ele estava gostando muito de passar pela segurança do aeroporto e cumprimentar a todos. Não conseguia entender o cansaço e a irritação estampados no rosto de tanta gente.

Aquilo era fabuloso, era fantástico, do mesmo modo como eram — ele viu logo em seguida — os corredores do avião, a poltrona do avião, a mesinha que ele podia abrir e fechar.

A comida toda organizada numa bandeja, e a aeromoça passando com um carrinho lotado de vários tipos de bebida, e depois passando *de novo* para lhe perguntar se ele queria *mais* bebida.

O cobertor e o travesseiro do avião. O ronco que o avião fazia no ar. O fato de ele saber que *estava* no ar.

O banheiro todo compacto e equipado com três tipos de papel. A descarga do banheiro, que mais parecia o grunhido de um monstro feroz (ou a súbita abertura de um buraco de verme, foi a teoria de sua mãe, que a explicou a Bruno enquanto ele lavava as mãos na água morna da pia: um túnel no universo como o que um verme abre na maçã, um atalho no tempo e no espaço — ela disse a Bruno que a borda do vaso se chamava horizonte de eventos, e o cano que chupava os excrementos dos passageiros do avião se chamava ponte de Einstein-Rosen. Bruno ficou olhando para ela e sacudindo a cabeça com muita seriedade).

Ele dormiu bem no avião e quando acordou viu que Alex e Max estavam com a cara inchada, e que o cabelo de Alex estava amassado e suas roupas, desconjuntadas sobre o corpo.

Achou graça, mas não disse nada. Às vezes — e ele a adorava tanto nessas horas, em especial nessas horas — sua mãe mais parecia uma criança, feito ele, do que um adulto, feito Max.

Mas ele sabia que era só impressão.

* * *

Ao voltar para o hotel, Alex se despediu de David. Aquele passeio sozinha, na primeira manhã, era um passeio que tinha feito por ele e, num certo sentido, com ele também. Levava sua companhia na memória, no fato de que se afinal estava em Hanói era por causa dele.

Queria, por assim dizer, mostrar-lhe um pouco da cidade, antes de se familiarizar com ela. Como se a estivessem descobrindo juntos. Como se estivessem compartilhando o primeiro olhar, aquele que ainda é pura expectativa, pura curiosidade. Que roça nos rostos das pessoas e nas placas das ruas pela primeira vez. Nas casas verticais, espremidas umas de encontro às outras. Nos gestos que as pessoas fazem, no seu modo de sorrir e de erguer ou baixar os olhos.

Queria estar com ele ali por algum tempo antes das fotografias, dos pontos turísticos, das longas caminhadas, das refeições nas mesas de pequenos restaurantes. Antes dos momentos inevitáveis em que passaria diante das lojas de suvenir e se lembraria de ter visto coisas idênticas em Little Vietnam, na vizinhança do antigo mercado de Trung. Antes de procurar produtos vietnamitas que *não* houvesse em Chicago para levar de presente para sua mãe, sua avó e Trung.

Haviam posto uma placa de ALUGA-SE no antigo mercado de Trung, e alguns meses depois foi aberto ali um restaurante que servia comida chinesa, vietnamita e sushi.

Durante algum tempo, Alex havia resistido a experimentar o restaurante. Parecia-lhe que seria como profanar um templo, pichar suas paredes, rabiscar as imagens.

Mas a verdade era que não havia templos, não havia imagens, não havia nem mesmo paredes.

Então ela se obrigou, certa vez, a entrar ali, sozinha, no novo restaurante. Mesas e cadeiras onde antes ficavam os montinhos verdes de *bánh da lợn* (os bolos de tapioca frescos) dispostos atrás do vidro. Pediu a sopa do dia e comeu em silêncio. Trouxeram-lhe um biscoito da sorte junto com a conta, mas ela pôs dentro da bolsa e levou para casa sem abrir.

Disso David não ficou sabendo. No fim, ele parecia tranquilo, quase contente, e havia feito as pazes com a confusão que tinha deixado de tentar torcer em algum tipo de sentido.

Dormia muito, no fim. Já praticamente não enxergava, e por isso não saía mais de casa.

Numa tarde, quando o sol tinha acabado de espremer o resto do verão sobre a cidade e já olhava noutra direção, Alex pôs para tocar "Sweet Georgia Brown" — com Ella Fitzgerald e a Duke Ellington Orchestra.

Sabia que era uma das preferidas de David. Havia feito uma lista das preferidas de David. Não tinha certeza de que ele estava conseguindo reconhecer. Mas tudo bem.

Deitou-se ao seu lado, abraçou-o e escutou a música até o final. Até a música acabar e ficarem só os dois e o silêncio. *Shhh.* Como naquela foto que ele tinha lhe mostrado certa vez — Miles Davis pedindo silêncio, o indicador atravessado em cima da boca.

No quarto do hotel Sunshine Suites, Max e Bruno já estavam acordados e vestidos, e trepidavam com a ansiedade dos turistas em sua primeira manhã no território inexplorado.

As máquinas fotográficas tinham cartões de memória a postos, zerados, prontos para muitos e muitos cliques, tinham baterias em ponto de bala, carregadas até o limite. Numa mochila, levavam mapa, garrafa d'água, lenços de papel, dólares americanos que trocariam por đồng.

Os três entrariam no grande fluxo dos visitantes de tantas partes do mundo, eles também completamente (ou quase, no caso de Alex) não vietnamitas no Vietnã.

Sem os músculos mentais para entender tanta coisa. Riscando a superfície apenas, talvez, como é da natureza de quase todas as experiências turísticas.

Aprendendo a atravessar a rua em meio à aparente total ausência de leis de trânsito. Fotografando camponesas de chapéu cônico carregando cestos de flores de lótus. Descartando as cadeirinhas pequenas de plástico nas calçadas porque Max não cabia nelas. Considerando exótico o que era cotidiano.

Mas alguma coisa ficaria. Alguma coisa ficaria. Um traço dentro deles, algo que ia se deslocar um pouco para dar lugar à memória dos dias ali. Algo que nada tinha a ver com centenas de fotos, com suvenires baratos, com aventuras a serem narradas aos amigos e familiares.

As lágrimas de Alex seriam enxugadas no banheiro, quando ela voltasse para o quarto onde ela, Bruno e Max se hospedavam, depois daquele primeiro passeio de manhã, sozinha, pelas ruas de Hoàn Kiếm. Ela ia assoar o nariz e lavar o rosto com água fria. Pentear os cabelos.

E em seguida colocaria no rosto aquele mesmo sorriso que Trung lhe havia pedido que colocasse pelo bem dos negócios, pouco mais de um ano antes, quando ela ainda trabalhava como caixa no mercado.

Só que agora ela sairia do banheiro do quarto deles no Sunshine Suites com o sorriso de mentira e toparia com Max e Bruno esperando por ela, e o sorriso viraria um sorriso verdadeiro, como um bilhete falso de loteria que você acaba descobrindo estar premiado.

Max veria os seus olhos um pouco avermelhados e não diria nada, porque não havia nada para ser dito. Ele só ia segurar de leve os seus ombros e ajeitar a alça da camiseta que estava escorregando e depois ajeitar o cabelo dela atrás da orelha, sem precisar fazer mais nada além disso, naquele momento. Seria o bastante.

E os três desceriam juntos para tomar o café da manhã, em que haveria arroz frito, macarrão e panquecas de banana. E sairiam para conhecer Hanói.

Este livro foi impresso
pela Lis Gráfica para a
Editora Objetiva em
junho de 2013.